那年五月，
他和她遇上了。

著　余兒
圖　Knoa Chung

目錄

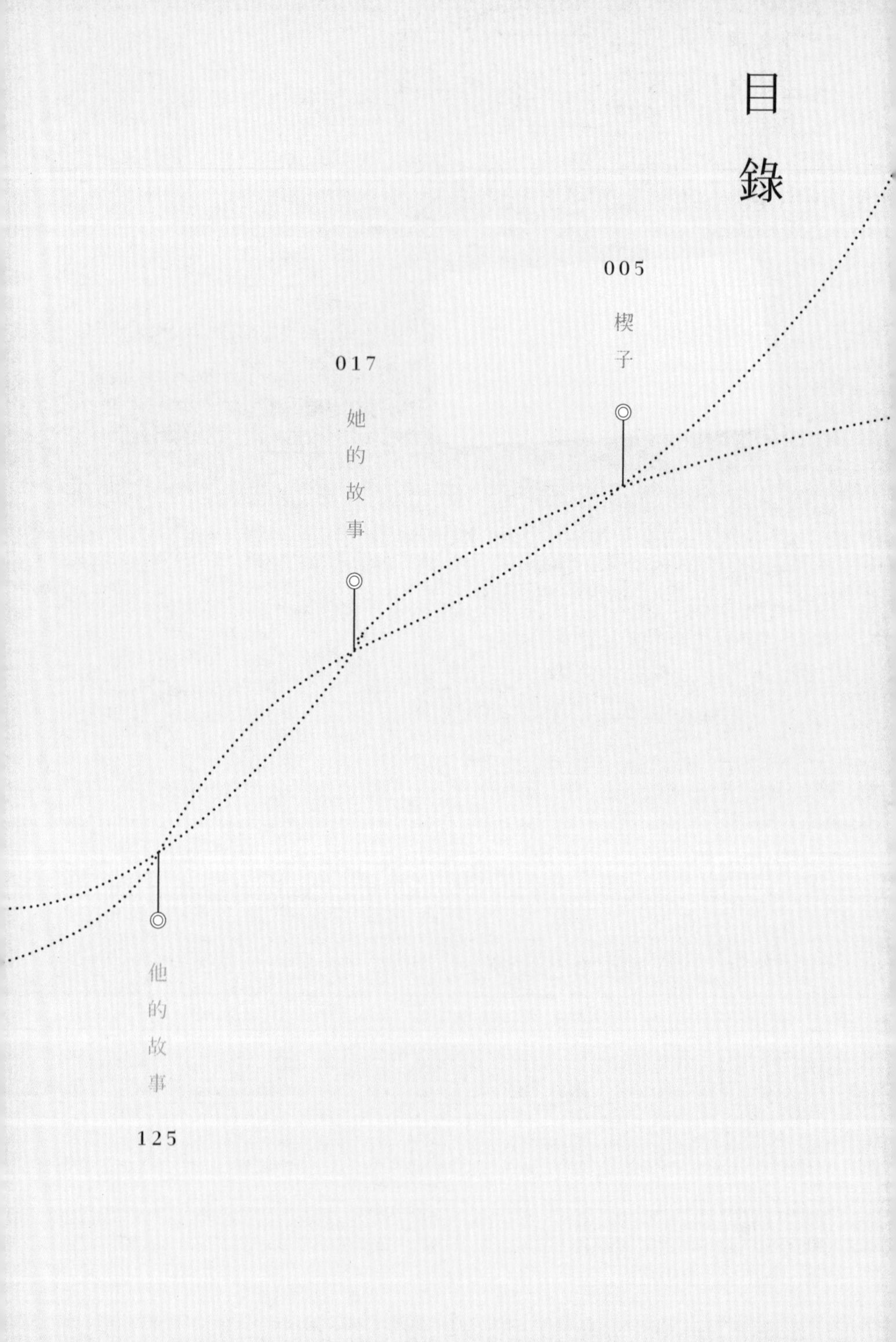

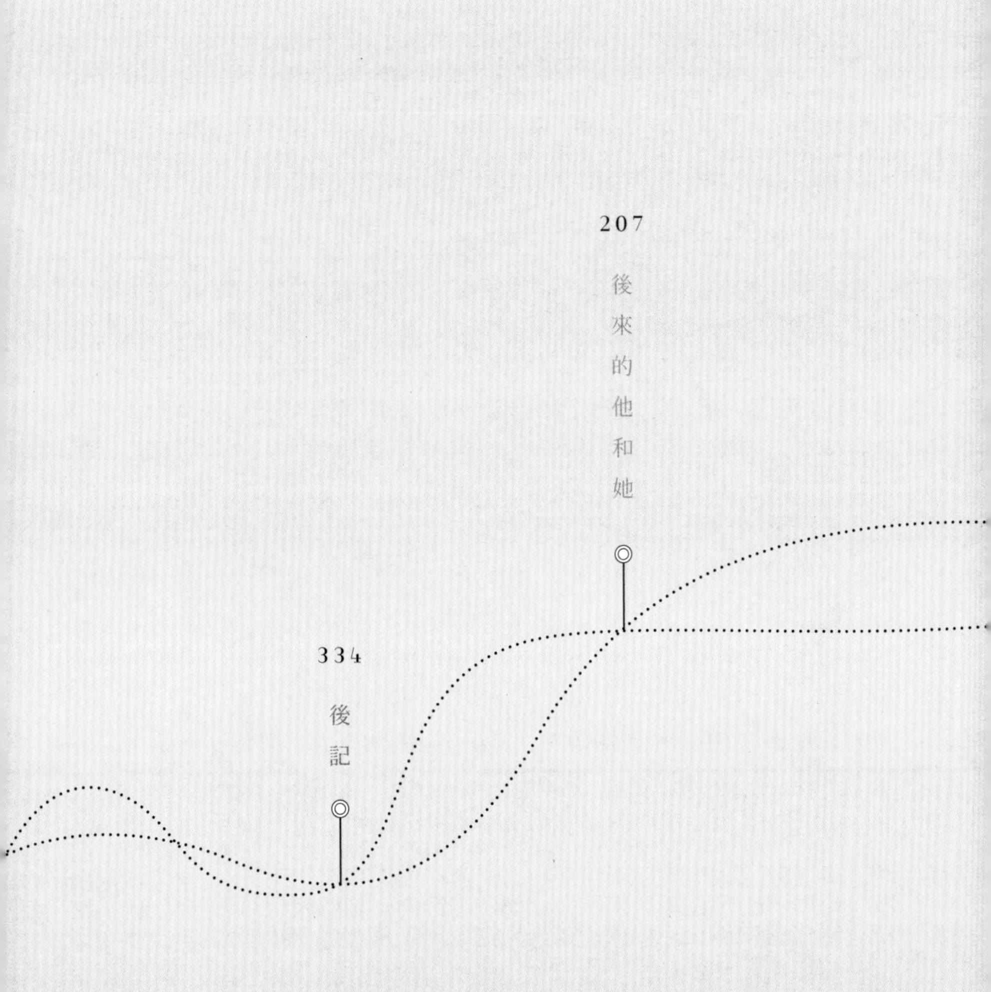

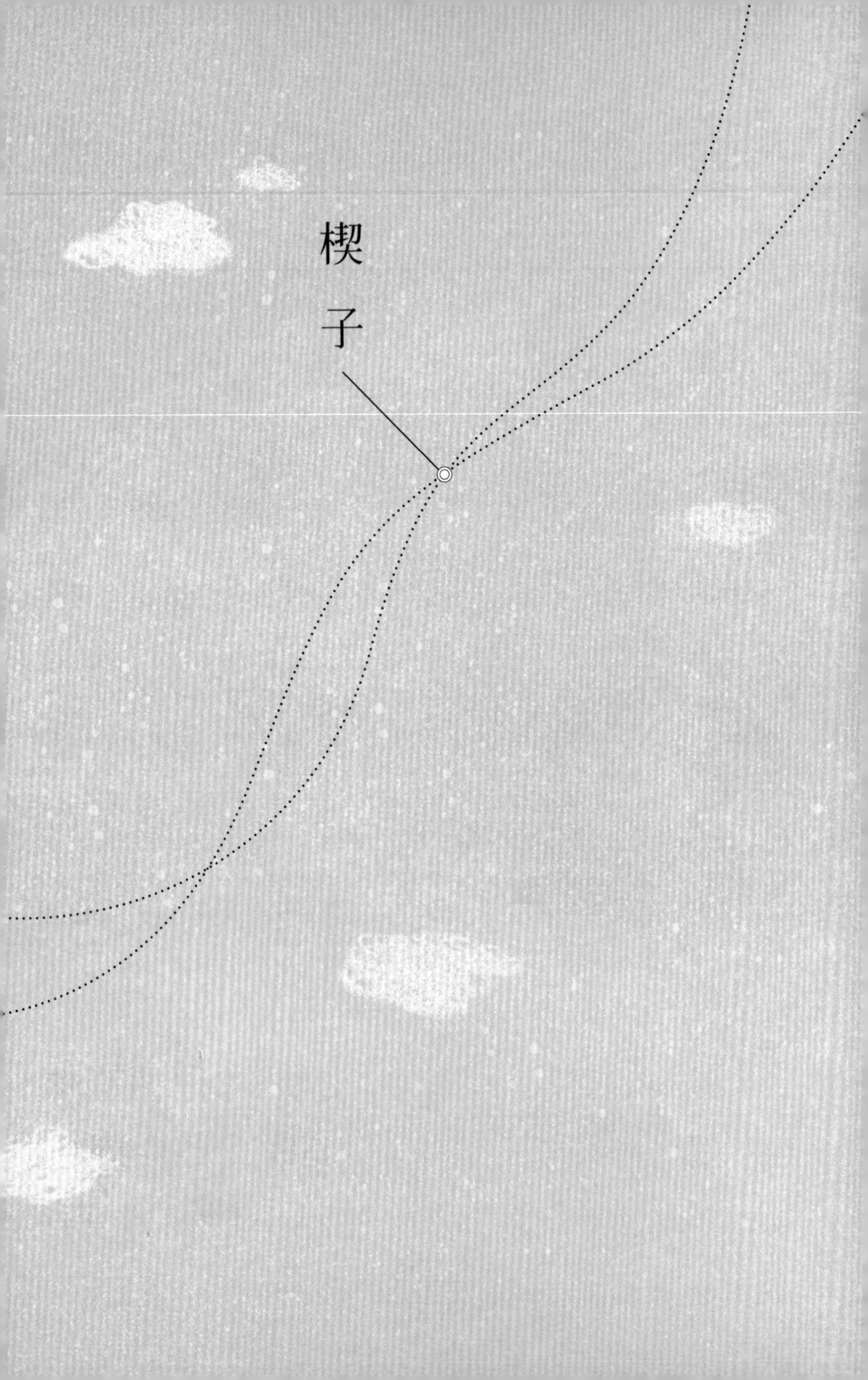
楔子

信宏小學。

六年甲班。

伍月坐在靠窗那行的第一排座位上。

她緊抿著嘴，小小的臉蛋已出落得有點少女味道，驟眼看來不似一個小學學生。

一月的空氣冷冽，伍月打了一個哆嗦。

她把繞在脖子上的頸巾圍緊一點，然後拿出拍子簿，撕下紙，寫道：

無聊！不要再在桌面上寫字。

昨天看了賭俠1999
好好笑!!

摺小，放到抽屜裡。

是這樣的：今天回到學校時，她發現自己的桌子被塗污了。是些鉛筆痕跡，只有坐在座位上才會看見。

——昨天看了賭俠1999，好好笑！

有那麼好笑，非要告訴別人不可嗎？

伍月猜想，留下「影評」的，一定是上午班跟她坐在同一座位的人。看字跡，應該是個男生。

伍月是模範生，是班長，她皺了皺眉，就拿起橡皮膠把留言擦掉。

第二天，缺德鬼沒再畫花桌子，但有樣學樣，回了一通便條：

真的好好笑！快看快看！

其實伍月一早就看了，可她回覆：

賭俠很好笑嗎？我覺得無聊！

又其實，伍月口不對心。

男生回話：

你覺得無聊，是因為你沒半點幽默感。沒幽默感的人，一定很醜怪。

伍月氣不過，忍不住又回應：

你才是醜八怪，我很漂亮的啊！

自己讚自己，不要臉啊！

哼！無聊透頂！我不會再跟你說話了。

說不過就不跟我說話，你很小器呢！

你真的很無聊啊！我不是小器，只是沒有話要跟你說。

沒話要說嗎？那就找些話題吧！你叫甚麼名字？

我為甚麼要告訴你？

你不肯說也不要緊，我就叫你醜八怪！

隨便你。無聊。

你不問我叫甚麼名字？

沒興趣。

就算你沒興趣，我也要說。就叫我阿King啦！

阿King？你以為你自己是賭俠裡面的劉德華嗎？嘔嘔嘔！我看你像化骨龍多一點！

伍月的口頭禪沒説錯。這種一來一回的對話，其實真的很無聊。但這其實與當時流行的ICQ和幾年之後的MSN差不多。再後來，MSN退熱，就一樣有其他通訊軟件，讓人們每天説盡無聊話。

開始時，伍月和上午班阿King説的盡是瑣碎事。日子久了，話題漸漸深入，聊些學校、家庭、生活上發生的事。每天打開那小字條，更成為了伍月回到學校，第一件要做的事。

從冬季校服換上夏季校服了，伍月還是不知道「阿King」的真正名字，也不知道對方的模樣。

伍月跟自己班上的男同學都不太親近，怕煩嘛——這一、兩年，大家都到了情竇初開的年紀，男生跟女生多聚一起的話，就會被配成對，瞎説一通、取笑一番。

但伍月對這個筆友卻很好奇，她想，也許是時候相約見個面吧？

我喜歡了一個人。

不知何故，伍月看了這句，就不想提見面的事了。

她是誰？

是鄰班的同學，長得很可愛的。

你要跟她表白嗎？

當然！不過，我還未認識她。

那……祝你好運。

今天很開心，因為我逮到機會跟她說話了，原來她叫程欣欣。好動聽的名字啊！

很好嘛。

嘩嘩嘩！今日小息的時候，我在操場遇到她，跟她聊了一會，她還請我吃她親手做的三文治。好開心，超幸運。然後我豪氣干雲地請她喝維他奶。我想約她去吃老麥！

哦。

阿King的字條愈寫愈長，伍月的，卻愈來愈短。

為甚麼你不回字條給我？請病假了嗎？

你生氣了嗎？女孩子生氣不好看啊！

我沒生氣，不過，快要考試了，我不再跟你聊了。你跟程欣欣聊就好了。

伍月忽然再提不起勁寫字條了。

——她厭倦了看他盡是在寫程欣欣的事。

——她上星期溺水，在鬼門關繞了一圈，幸好有人救了自己，他卻還在說那個女生怎樣那樣的。

——她昨天第一次來初潮了，感覺怪怪又奇妙的，卻發覺，這些事，原是不能跟他說的。

他們的聯繫，就那樣戛然而止。

畢業了。

伍月拿到畢業同學錄，她翻到班級集體照那幾頁，最先找到程欣欣。

是真的長得很可愛沒錯。

然後，她翻到上午校的六年甲班，照片裡，清清楚楚看到，有十五個男生。

在這些臉孔中搜尋，哪一個是他呢？

伍月不知道，伍月卻又彷彿知道。

就只有那麼一個男生，吸引住伍月的目光，和她腦海中的想像，很相似。

她找到這個她所認定的男生的名字，一看之下，不禁莞爾。

伍月相信直覺。

她看過《時光倒流70年》，戲中的女主角第一次遇到回到過去的男主角時，並不知道他將會羈絆自己一生，可是她還是脫口而出說了一句：「是你嗎？」

該如何解釋這一幕戲？伍月認為，那是感應，緣份的感應。早些時日，她還看過解釋愛因斯坦廣義相對論的書，雖然不太明白那些高深理論，但她自此對沒法證實存在的重力波假設深深著迷——重力波造成的時空漣漪，可能正是構成人與人不可思議的相遇的原因，而且自一開始就無從逃避，在幾億光年前早已註定。

她的故事

1.1

午膳時間，班上的女生圍攏一起，沸沸揚揚地談論一件比考試還要緊的大事。

「今天旭仔在維園球場踢的是冠軍戰，你們去不去跟他打氣？」劉安芝一副追星的口吻。

芝芝是我在班裡最要好的朋友，她愛笑，愛起鬨，是個很會打扮的「正妹」，而且家境比我好太多。打從升上中學以來，我們就認識，並且三年來一直同班。

我們就讀的是港島區有名的聖彼得書院。

恐龍妹肥萍未出發先興奮：「當然去啦！昨晚我沒睡過，就是為了趕製這條Banner！」說著邊在袋子拿出一條橫額，上面寫著：「旭仔❤旭仔❤永遠支持你！」

「好搶眼！」

「未算——」肥萍按下橫額背後的按鈕，那些心心圖案原來是會亮起來一閃一閃的燈泡。

很浮誇呢！

但旭仔——我們學校的超級巨星，擔當得起。

同學口中的旭仔，是吾校的校草林志旭。比我們年長兩級，今年是中五生。

林志旭受女生歡迎的原因有三：

一，長得帥；

二，高而壯；

三，有錢。

誰有了這三大元素，他的人生就注定了，走到哪裡也會有一大群異性簇擁著他。

通常這種受女生愛戴的男生，都會令同性生出嫉妒心，繼而成為窩囊廢們的攻擊目標、被耍對象。

林志旭卻是例外，從沒有人敢挑戰他，也沒有人敢玩弄他。

因為——他很會打，堪稱打架奇才，曾有以一敵三，把對方統統打倒的紀錄。

還有更重要的原因，是這個人生勝利組的父幹太猛，據說他的父親是多間公司的股東，業務包括酒吧和西餐廳，既是餐飲業鉅子，又是電影公司「旭日娛樂文化」的大老闆，還經營了好幾間電影院。林志旭常常請圍在他身邊的同學去免費看戲，還包吃爆谷吃到撐！

本身的條件，加上這樣的背景，林志旭簡直就是天之驕子，人中之龍。

難怪學校的女生們個個都對他神魂顛倒。

「聽說B班二十名女生全體出動，我們絕不能輸給她們。」肥萍咆哮。

「肥萍，你少擔心，我已找來妹妹學校的一大班同學作外援，我們A班的氣勢一定比B班強大！」芝芝氣勢如虹。

香港女生的好勝之名，可不是蓋的！愛鬥、要威、不顧一切去搶，幾年後，即將會變成「港女」被人取笑與彈劾的主要特質。

當然，凡事都有例外。

「伍月，你放學會跟我們一起去嗎？」

那個例外就是我！

「不去了，你們自己去吧。」

對於同學們對林志旭的熱情，我沒有任何意見。只是我並不準備加入他的後援會，因為我沒興趣為一個不相識的人付出精神和時間。雖然我是蠻喜歡吃爆谷的啦。

有時間的話，我寧願用來溫習。成績不賴是我最大的驕傲。

我也不想成為花癡，不會蠢到以為大帥哥會對我這種姿色平平、頂多說是長得還滿讓人順眼的女生看得上。畢竟真實人生不會上演偶像劇（雖然學校裡有這種人物就很有偶像劇的味道）。

放學後，芝芝她們浩浩蕩蕩追星去了，我則一個人走路回家。

我住在大坑勵德邨，離學校不遠，向山上一直走著大斜路，大約步行二十分鐘就到了。雖然是公共屋邨，但這條邨的建築很有特色，我住的勵潔樓是圓筒形的，全港獨一無二，雖是窮人家，卻有點氣質（我以為）。

穿過大堂，步進升降機，按下20。回到小小的單位，父母一如往日還未放工回家，家中只有我一人。

每天，我最享受的，就是這個時刻了。

扭開收音機，傳來的是五月天的〈擁抱〉。

聽著阿信的歌聲，我懶洋洋躺在沙發上。夕陽的光線穿透陽台曬進屋子，微風輕輕吹過來，讓我舒服得睡著了，直至，一首嘈吵的歌把我吵醒。

我伸伸懶腰，提醒自己：未做家課，不能躲懶。

走到洗手間想洗個臉，經過陽台，不期然望向外面的風景。

放眼望去，可盡覽整個維多利亞公園的景色，翠綠得教眼球很舒服，豪宅景致不過如此。只是，同一樣的景物，我從出生至今已看了十多年，再優美，也會悶。

但今天我卻停下來，凝神定睛，瞇起眼望向公園當中的足球場。

遠處的足球場上，有很多細小的人在走動，正在進行球賽。

我知道比賽中的二十二個人當中，有一個就是萬人迷林志旭。

「我校的球隊是領先還是落後了呢？」念頭一閃而過，就隨即摔摔頭：「關我甚麼事？」

洗過臉後，我從鏡子裡看見自己一頭蓬亂，便索性把頭髮編成孖辮。

上學時、見人時，我是不喜歡束辮子的，因為我覺得自己把頭髮放下來，漂亮得多嘛。

再次經過陽台，我還是禁不住向球場方向，看了幾眼。像螞蟻那麼小的人在跑動，看不出甚麼瞄頭來。

算了，我一向對球賽沒興趣。

拿出家課開始寫，卻發現原子筆沒有墨水了。

我向筆頭呼了口氣，試試再寫，還是不行。

我在心裡嘀咕：真麻煩。

雖然樓下的屋邨小商場就有文具店，但我想既然下樓了，不如去中央圖書館借些小說吧。之前還可以順道經過球場，看看比賽進行得怎麼樣也好，畢竟這場比賽是學界體育的盛事。

果然，維園足球場的觀眾席上座無虛席，女生們在高呼喝采，很有節奏地喊著：「旭仔，加油」！

我一眼就看到芝芝，她正在忘形地在叫喊著，並沒發現我就在球場不遠處。幸好沒被她發現。

賽事已來到下半場的三十分鐘。

一個穿著10號球衣的球員控球在腳，神勇地左穿右插，幾個假動作，扭身越過了敵方兩人，然後作了記短傳。

落點準確，力度又好，足球落在隊友的腳跟位置，只需輕輕伸出右腳就能接應。

趁隊友將球再度送出，10號球員已如箭般來到敵方龍門前十四碼。接球，左腳拉弓，勁射入網。

（嘻，這些足球用語，全都是我從《足球小將》中學回來的。）

這個身高182公分，五官精緻，膚色古銅，長髮及膊的神射手，球場上的風頭人物，不消說，就是我們的學生王子——林志旭，旭仔。

球進網的同時，全場女生發出極高分貝的尖叫。

他的魅力，真厲害。

我瞧到得分牌的記錄是5：0。

領先的當然是我們的聖彼得書院。

距離完場還剩餘不足十五分鐘，聖彼得要奪魁，已經穩操勝券。

入了這球後，林志旭就被後備隊友換出了，有型有款地走到更衣室。

女生們已經按捺不住蜂擁而上，守在更衣室門外等候他。

噢，此地不宜久留，我還是速速離開球場為妙。

走到大街路上，看見一輛名貴的平治房車泊在馬路旁，不久就聽到身後傳來一陣急速的腳步聲。

我轉過頭往後一望，就看到有個男生已經來到我的身後不遠處。

是林志旭。

這是我第一次，如此近距離看到他。

他離我很近，近得連他那長長的眼睫毛，也看得很清楚。

他的輪廓好深，眼神炯炯，鼻梁高高的。

好美……雖然用美去形容男生有點那個，但……的確好美。

換上便服，束起小辮子的他，更有一種不羈的神態。

那種捉摸不定的叛逆況味，最叫女生著迷——這時候，他的一身汗味，根本不是一回事了。

說到底，帥哥誰不愛呢？

就這一下四目交投，我立即被煞到了，僵立在原地。接著我感到自己，從頭到腳，全身都在發熱。

一股電流流過，我像是麻痺了。

太丟臉了！我不敢再直視，唯有低下頭。

林志旭望了我一眼後，就別過臉，匆忙走進停泊在馬路旁的平治房車後廂。

他在我的身邊擦過，我們的距離很近，大約只相距五公分吧。

雖然已經同校了好幾年，但這卻是我首次跟他有這種距離的接觸。

我終於徹底明白到，這個人何以會在學校裡那麼深受歡迎。

車子絕塵而去，我和他的距離再度拉遠。

之後，我才能呼一口氣，回復正常。

這才想起，他看著我的眼神好疑惑，或許他根本不認得我和他是同一學校的。

第二天，學校女生的話題，自然都圍繞著林志旭如何在球場大發神威。

「昨天旭仔真的帥斃啊！看他在球場上一個人左插花右插花，大演帽子戲法，英到不得了！天哪，怎會有這樣的極品男？」

女生們爭先恐後地附和，嘰嘰喳喳的，愈說愈肉麻，班上的男生再膿包，也開始不是味兒。

四肢發達、皮膚黝黑、有點笨相、綽號洋蔥的楊風不怕死地說：「大演帽子戲法，很巴閉嗎？你試試叫他跟我比籃球，看看誰較厲害？」

芝芝不屑：「洋蔥，就算你籃球比他打得好又怎樣？大猩猩*打籃球也很厲害，難道我們會喜歡他嗎？你明不明白重點是甚麼？重點是他長得比人帥啊！而且還不是一般的帥！波踢得好只是 bonus 來的！」

（*大猩猩——漫畫《Slam Dunk》（井上雄彥作品）中，湘北隊隊長赤木剛憲的外號。）

好男根本不能與女鬥，何況對手是伶牙俐齒的芝芝？面對芝芝一口氣的連珠炮發，洋蔥你還是認栽了吧。

班房外面，傳來一陣騷動。

「嘩❤❤很勁啊！三分區射球，還要穿針入網。」

「旭仔❤實在太帥了。」

「I love you，旭旭！」

一聽到旭仔的名字，大家都立即湧出課室看熱鬧，這時才發現，一至五樓的欄杆都已經站滿了女生。視點一致落在操場的籃球場上。

林志旭正站在三分球區位置投籃。

連投10球，有8球命中目標。

每投入一球，女生們便發出此起彼落的尖叫聲。場面不可謂不誇張。

我瞥見洋蔥偷瞄了在旁的芝芝一眼，沮喪地低下頭來。

我彷彿聽到他內心喃喃地說：「又好波，又靚仔，跟他讀同一間學校，我們注定沒有運行了。」

上堂鐘聲敲響，女生依依不捨、男生則悻悻然走回課室。

芝芝跟我說：「妳怎麼看幾眼就不看啊，原來他打籃球也很了得的。真是運動健將，多才多藝呢！」

「看了又沒著數，有甚麼好看。」

我又口是心非了。其實我是很想看的，不過一直以來我都表現得對林志旭沒有興趣。

「那妳就走寶了。你知不知剛才旭仔多麼有型啊——有粉絲跑去遞毛巾給他，然後非常仰幕地問他：『好厲害啊！為甚麼你可以球球都入籃？是不是經常練習的啊？』妳猜他怎回答？」

「怎回答啊？說是因為自己很帥，所以籃架都自動獻身？」

「伍月妳這個答案有創意，但他當時不是這樣回答，他說：『凡人才要練習嘛。我甚麼都不用做，舉起手就可以投進籃了。』大家呆住了之際，他又說：『說笑而已。』嘩，好有型啊！」

我失笑：「好噁心造作啊！」

芝芝嬌嗔：「看了妳就不會這樣說啦，下次一定要一起看啊！」

我點點頭：「是了，洋蔥一副想哭的樣子啊。妳應該知道他對你有意思嘛，下次就不要在同學面前數落他吧，男生最要面子的。」

「面是人家給的，架是自己丟的！要面子的話，就不要亂說話了。喜歡我？我定眼望他超過三秒都想作嘔。」

「沒那麼誇張吧？」

「一點也沒誇張啊，我現在也有點想嘔的感覺。」

芝芝的這句話真刻薄，希望洋蔥沒有聽到吧。

最後一節課是化學科，我們要到實驗室上堂。

走到實驗室時，我們發現之前在這上課的中五班還未離開班房。

這時，在我身旁的芝芝突然捉緊我的手臂，相當肉緊地壓下聲線：「旭仔啊！」

我往課室裡面一看，原來正在上堂的，正是林志旭那一班。

他正坐在我即將要坐的同一座位上！

正巧他也望過來，我跟他的眼神接上。但大約只有一秒，他就別過了臉。

真是個囂張的傢伙。

芝芝一直捏著我的手臂，一點都不知道我會痛。當林志旭步出課室，我們步進課室時，旭仔在我們身邊走過。

事情總是一不離二的，繼昨天之後，我們又碰頭了。

他盯住芝芝在看，我感到芝芝的手在發熱，還輕輕抖起來。

當我們坐到座位上，他在大門外又再一次回頭，向我們這邊望過來。

芝芝極度興奮：「妳看到嗎？妳看到嗎？他與我目光交接啊！」她不斷重複又重複説著。

我沒好氣：「看到啦！」

一整個課堂，芝芝都為了這短短十秒的對望在躁動：「妳猜他是不是對我有意思呢？」

然後自問自答：「應該是吧！就算不是，他也覺得我漂亮吧？」

就因為襄王這一個不知是否有心有意的眼神，神女的戀愛程式就啟動了，而且足足樂上大半天，唉，好一個懷春少女。

這一個「驚鴻一瞥」，令芝芝開心到發瘋，而且生出無數幻想劇情，卻也令一個看在眼裡的人覺得憂愁失落。

噓，不是我啦！是洋蔥。

1.2

除了聽芝芝不斷複述或演繹或延伸或二次創作她那遭「秒殺」的四目交投之外，我們又平靜地度過了一個循環周。

然後，一件「大事」發生在我身上。

又到了化學課要換課室的時候，雖然芝芝已想過好幾百個不同版本的第二場相遇戲碼，實況卻大出她意料，畢竟她的創作料子有限。

我們來到實驗室，發現——王子睡著了！

而其他同學都走掉了，我想，是沒有人夠膽把他叫醒吧——校內謠傳，早前曾有一個老師在他睡覺時拍醒他，他一生氣起來，就把老師的大牙打掉。

我們班上的人都自動自覺地放輕了腳步，魚貫坐到自己的位置上。

都是好東西，真沒種。

也沒義氣。

那我怎麼辦？他霸佔著的座位，可是我要坐的座位呀！

我站在他的身前，全班同學這時居然變得團結合拍，全都屏息不動，三十多對眼睛同時落在我身上。

只見旭仔雙手交疊作墊，頭伏在上面，臉的方向，則是向著一向坐在我鄰座的芝芝那邊。

芝芝望著熟睡了的林志旭，如癡如醉地，就像正在欣賞一件稀世藝術品。

完全不想我的感受，也沒想過要幫我一把，哼，這個重色輕友的色女！氣死我了！

我望向老師，發出求救眼神，豈料他居然擺擺手，一副沒辦法的模樣。天啊，怎會這樣的？

這刻的我，不知道該如何是好，但呆站在這裡，也不是法子，總不成一直站著上課吧？

弄醒他，又有可能被揍。但他……該不會打女生……對……吧？

管不了那麼多，死就死好了！

叩叩。

我敲響桌子。

好驚！心跳得好快，是真的怕他打我，還是……

叩叩。

他緩緩抬起頭，睡眼惺忪，左盼右顧，好像一時間不知道自己身在哪裡。

林志旭還未回神：「這裡是……」

芝芝搶答：「你睡過了頭，你的同學都走了啦。」

「是嗎，多謝妳把我叫醒。」露出燦爛一笑？跟傳聞不一樣嘛，一點都不兇，還一副有禮貌的樣子。

但，叫你的人可是我！你坐了我的座位啊！看不見只有一人正站著，沒位坐嗎？

芝芝伸手出來，擠出練習了個多星期的可愛笑靨：「不要緊。我叫劉安芝。」

叫醒他的人可是我啊！好不要臉的劉大小姐。

全班鴉雀無聲，幾十個焦點一同落在兩人身上。

只見林志旭有型地甩甩頭：「我叫林志旭，叫我旭仔就可以了。」

「你那麼出名，我早已知道你的名字啦！」笑得好甜甜甜甜甜甜甜甜甜。芝芝本來就是本班公認的美女，這下子就算是林志旭，也該要心動了吧？

雖然芝芝不要臉，但我不得不佩服她的勇氣。她竟然把全班人當成透明，公然搭上他。

就在我讚嘆之際，林志旭已經站起來，我讓開，他就在我旁邊擦身而過，由始至終，都沒望過我一眼。

他走出班房後，芝芝不顧正在上課，抓著我大吼：「他跟我說話！他跟我說話啦！」

我認識了芝芝三年，記憶中沒有見她這樣開心過。

無可否認，萬人迷的確有他的獨有魅力。

我坐下，隨即看到桌子內有一物，取出來一看，原來是一隻錶。

一隻不知要多少萬元的勞力士手錶。

我拿起手錶：「妳看看。」

「這隻手錶是旭仔的，讓我拿回給他！」芝芝一手將手錶搶過來。

放學後，我遠遠地看著芝芝把手錶交回林志旭。

如此名貴的手錶失而復得，理應開心才對吧，但這時候的他，卻沒有一點笑容，臉上也沒驚喜，似乎只是說了句道謝，就把手錶隨隨便便的放入褲袋。

好像就算丟了手錶，也不是甚麼一回事。

自從認識了林志旭之後，芝芝一有機會就會走到他的身邊，找他聊天。

然後，就會跟我大談「賽後報告」。

以前我們總有很多的話題：電影、音樂、漫畫、電視……現在卻只有她的王子。

不過也因為這樣，我間接地對林志旭的所知多了。彷彿成為了最熟悉的陌生人。

一天放學途中，芝芝對我說：「伍月，旭仔約我星期六看電影啊！」

我有點驚訝：「真的嗎？」因為據她之前的「匯報」，他們聊的，好像都只是很普通的事情。

「當然是真的啦！他知我喜歡梁朝偉，還特意選了《無間道》這部戲。」

不想承認，但這一刻，我竟生出一陣酸溜溜的感覺——《無間道》我也很想看啊，好朋友卻約了男生去看而不約我！

「那當日你要穿漂亮一點。」我有點言不由衷。

「當然啦，所以我想你陪我去買新衣。」

「但今天我想回家溫習啊！」

「陪我啦！陪我啦！陪我啦！買完衫還可以去拍貼紙相啊！」芝芝在撒嬌。

——不如我們陪妳吧！

當我正在為難之際，在我們身前，響起一把聲音。

我往前一望，看見三名赤裸上身，露出龍、虎、蛇紋身的男子截住了我們的去路。

我認得他們是慣常在我屋邨附近蹓躂的小混混，仗著他們的老大有點勢力，就在這一帶欺凌弱小，也經常跟女生搭訕。我還見過他們敲詐學生，擺明了就是搶劫金錢。討厭死了！

臂上有老虎紋身的男子道：「妳們是否要去買衫？現在就去吧。」

芝芝退到我身後，我唯有硬著頭皮，踏前一步對他們說：「讓！開！」

我其實怕得要死，但又不想向他們低頭。

「不讓開又怎樣？」

「你們……敢再行前一步，我……就大叫非禮！」

我們在大街上對峙，經過的途人都停慢腳步望向我們。

大白天，滿街是人，沒事吧？

「有甚麼好看，快給我滾！」

他真的又踏前了一步，我的心嚇了一下。如果這是漫畫情節，在這時候，一定會有個又好打，又有型的人物出場，把他們攆走，然後問我有沒有受驚。

但現實中，這人沒有出現。

我快要給嚇破膽了。

畢竟因為有很多人在看吧，紋身男子們終於走開，不過他們在我們身邊經過時，卻拋下一句：「我認得妳們的校章，妳給我放小心點。」

他們走了，我鬆了口氣。我這才發現，我的腿都軟了。

芝芝誇我：「妳膽子真大！」

「光天化日，他們能有多兇？」

「不過他們知道我們的學校，我怕……」

「有甚麼好怕？我們又沒做壞事。」

雖然說得口硬，但乖乖牌的我，心裡是怕得很的。

往後幾天，我上、下課時都有點戰戰兢兢，幸好，那班混混終究也沒來找我晦氣。

星期六，是芝芝與林志旭約定了一起去看電影的日子。

我的好友去約會了，我卻百無聊賴，獨留家中。

功課做好，想來個午睡，卻始終不能成眠，每當合起雙眼，就會看見林志旭和劉安芝約會的情境，居然還會有接吻的限制級畫面。

怎會這樣的？他們約會，關我甚麼事？難不成我居然成了愛情小說中，妒忌貌美女主角的女二號？

為了阻止自己胡思亂想，我拿起籃球，走到維園籃球場，想要來個忘情大投籃！

聽說運動可以令人神經鬆弛，也可以令人暫時忘記憂愁，但怎麼啦，我已經由黃昏投到天色變黑，還是阻止不了浮躁的感覺。

就在我體力不支，腦內又不受控制，要離開之際，我看到一個同班同學。

洋蔥。

洋蔥拿著籃球，一身大汗：「哦，妳也來打籃球？」

我指著身後的籃球場：「是啊！我在這裡個多小時了。」

洋蔥也指著他身後的籃球場：「我也待了個多小時。」

「兩個籃球場這麼近，我們竟然一直看不見對方哩。」

「可能我們都太投入吧。」洋蔥親切地笑了笑。

既然不約而遇，我們便在維園的大草地上漫步，聊了起來。

隨便說了些無聊話後，洋蔥忽然問我：「妳知不知道林志旭約了劉安芝看電影？」

「嗯。」

「我知道劉安芝不喜歡我，我也沒妄想過可跟她成為一對……不過，當我一想到他們正在一起，我的心就覺得很酸。」洋蔥坦白得過分。

我吞了吞口水。

我吞的口水更大。

「我幻想他倆在戲院裡拖手，甚至接吻的情境！」洋蔥繼續說。

咦，徵狀跟我的一樣？那豈不是說明了，我也對林志旭……

No！不會的，從小到大，老爸就教導我做人要安份守己，不要有太多無謂的非份之想，這些教誨，已經深入骨髓！而且，比起奔走在陽光燦爛的操場上，我一直更喜歡待在陰涼的圖書館；還有還有，班房調位時，我也一定會揀選角落的位置，而非正中間；課外活動的話，也絕不挑選會出風頭的……所以，我絕不會傻到戀上這種閃亮到令人瞎眼的王子的！更何況……林志旭一直連正眼也不望我一下……

「唉，你不要想太多了，劉安芝是班花，很難入手的，不如試試其他目標吧！」我試著安慰他，說不定也是在安慰自己。

「我也知我配不起劉安芝，不過我時常在街上看見很多美女都拖著醜男，所以才想一試。」洋蔥續道：「何況，我也不算醜吧，只是沒林志旭那麼帥……」

聽到他這樣說，我才首次認真細看這個同窗三年的男同學。在近距離下看著洋蔥的側面，才發現他的輪廓很深，鼻梁也高，皮膚也相當不錯，並不像其他荷爾蒙澎湃的少年般長了一臉青春痘；只是，他總給人一點笨笨的感覺，或許因為他的身型較同齡同學高大吧。

不過，就算他勉強算是一個帥哥，級數也跟林志旭差了一截。

「算吧，說不定遲些日子，你會找到一個更好的人呢！」我用手指戳了一下他那結實的手臂，心想：「芝芝也不是沒有缺點的啊，她的公主脾氣，可不是人人受得了的。」

「妳人真好。雖然你沒劉安芝漂亮。不，根本不能比的。」

喂，做人不用那麼直接的！儘管我早早知道自己不會變成大美人，但多謝父母賜我一雙大眼睛，掛在瓜子臉上，雖未至於是城市驚喜的級數，但也從來不會讓人說我長得很抱歉啊！

他認真地望向我：「是了，學校佔了九成九的女生都對林志旭有好感。妳呢，妳有沒有？」

「呃……當然沒有啦！我最討厭就是他那種類型，終日裝酷，任由身邊的人簇擁和為他起舞，為人肯定自大又花心。而且又白鴿眼，看不起我們這種平凡女生似的，我最……討厭他。就算今生沒有男生，我也不會選擇他！哼！」

最後收結的這聲「哼」好像造作了點，幸好單純的洋蔥沒質疑。

「那也對，像你這樣平凡的女生，又怎可能跟他一起？」混蛋！你沒看過大熱的《流星花園》嗎？配上有錢型男道明寺，正是平凡庶民杉菜啊——雖然那只是另一個虛構的灰姑娘故事罷了。這種只會在少女漫畫出現的情節，我壓根兒就不相信。但我不禁反駁：

「你在說甚麼？就算我是平凡，但像我這種擁有親切外表的鄰家型女孩，才是最有市場的，你真不識貨！」洋蔥打哈哈，望了望我：「原來妳也很有趣。我還以為妳讀書那麼好，一定是悶蛋。」他忽然轉了話題：「是了，妳信不信占卜的？」怎麼啦，跟你有熟到要談這些閨蜜話題嗎？

「一般啦。」其實非常相信。每星期我都會追看本周星座運程的。

「我姐姐對這些很有研究，她說有個古法占卜很靈驗的，只要妳將出生日期給我，我就可以叫她算算你跟未來的真命天子是如何結緣的。」

「那麼神奇？」

我半信半疑的把出生日期告訴了他。

兩天後的星期一，我才把腳踏入班房，洋蔥就衝過來對我說：「伍月，你的真命天子就是奪去你初吻的人！」

這下子讓我相當震驚，因為年前我和芝芝跟幾個女同學曾貪玩偷偷玩過碟仙，當時也曾問過我會在甚麼情況下遇到我的老公。當時碟上的箭嘴在滿布中文字的黃紙上移動，分別在兩個字停留了一會：

「初」「吻」

不會那麼巧合吧。

這時芝芝也踏入課室了，她一聲不響就坐了下來。

平時不用發問，她已會連珠炮發，可今天卻反常地默不作聲。我終於忍不住問她：

「星期六的約會怎樣了？」

芝芝木無表情，跟她之前提起林志旭的態度完全不同：「超爛！」

「過得不開心嗎？」

芝芝咬咬唇，狠狠地說：「原來他是個急色鬼，電影一開場，他就對我毛手毛腳！」

「甚麼？」我瞄了洋蔥一眼，看見正在偷聽的他，十分憤怒。

「他不只是個色鬼，還是個暴力狂！在街上遇見別人望他兩眼，他就大聲的喝罵人，人家反駁他，就動手打人。末了還問我這樣帥不帥！」

早就有傳聞他的父親有些特殊背景，但想不到他的為人會那麼沒品。

之前還真看不出啊！

說老實的，我也有點失望，想不到林志旭是這樣的一個人。

之後一整天，芝芝都很少說話，對我一直不瞅不睬。這我可以理解，白馬王子的形象破滅了，心情不好也是常情。

不過我轉念想，芝芝是個大情大性的人，過一陣子就會沒事了，所以並不太擔心她。

反而洋蔥，令人有點擔憂。

果然，第二天，洋蔥的臉就瘀腫起來。

我禁不住問他：「發生甚麼事啊？」

洋蔥支支吾吾：「不要問啦。」

「你跟別人打架？」

「我不小心跌倒。」

「我知！你一定是去了找林志旭晦氣，結果卻給他打成這個樣子！是不是？」

「不不不，妳誤會了，真的不關林志旭事，是我自己弄傷。」

以前提到林志旭的名字，洋蔥總是很不屑，但今天他卻表現得誠惶誠恐。我從未見過洋蔥這樣子，想必那個林志旭的出手一定很重。

小息的時候，我在梯間遇上匆忙跑下來的林志旭。他大概因著我的阻擋，在經過我身邊時慢下步來。我想起，這次才不過是第三次，我們靠得那麼近。但這一次，我突然覺得他的俊臉變得有點討厭，不可一世的模樣更令人生氣，所以忍不住白了他一眼。

可能我那瞪人的殺氣太強，他終於正眼看我了，卻奇怪地露出一副欲言又止的模樣。他這個莫名其妙的表情好像有點甚麼在內，不過也可能是我多心。算了，我甩甩頭，反正事不關己，就邁開腳步，不去多想了——我還要趕著去逗那小可愛玩呢！

1.3

聖誕假期前夕，班主任召我到教員室。

「甚麼?!」我瞪大了眼，對著 Miss Wong 失儀大喊，因為就在剛剛，我聽到一番著實令人震驚兼費解的話。

「反應不用那麼大吧?」Miss Wong：「我只是問妳，聖誕假期可否回校，抽時間替林志旭惡補數學。」

看來我一開始沒聽錯 Miss Wong 的提議，卻依然百思不得其解：「怎會讓我去替他補習呢?」他是中五生，我才不過唸中三，這樣的安排很古怪吧?

「林志旭那小子的運動成績很棒，但或許顧此失彼，令學業成績有點……不太達標。尤其數學科，大概只有中三程度。他快要考公開試了，要令他順利升上預科，這個假期內必定要惡補一番。」

那跟我何干啊？他家那麼有錢，請十個八個補習老師也可以啦！

「當然啦，也不是把責任只放在妳身上，他班的數學老師 Mr. Ip 也一直替他特訓中。只是接著這個聖誕假期，葉 Sir 要外遊不在香港。葉 Sir 說林同學的天資還是蠻不錯的，所以想到找中三級裡數學最好的同學來替他溫習一些基礎算式和公式。」Miss Wong 微笑著說：「妳是中三全級裡數學成績最好的，所以葉 Sir 就拜託我問問妳能不能幫他們一把啊！」

哦，原來如此。

Miss Wong 接著說：「我看過妳在功課輔導班教導小師弟妹，頗為頭頭是道。而且更重要的一點是，其他女生都對林志旭神魂顛倒，但妳向來不湊興，應該不會邊補習邊暈其大浪吧，呵呵呵……呵呵呵……」

Miss Wong 自顧自笑起來，我卻在心底裡咕咕嘀嘀：「學校裡比林志旭需要補習的人多的是，為甚麼偏偏林志旭可以得到優待？」說穿了，大概每個老師也希望這個風頭躉可以繼續閃耀學校吧？連一向嚴肅的 Miss Wong 在提到林志旭這塊優質小鮮肉的時候，嘴角不自覺地上揚，我就知道，漂亮的臉孔是一切的通行證。

換轉是往時，學校假期都是我要睡大懶覺的大好時節，我才絕對不要答應每天回校啦。只是，為著招財（招財就是我跟校工叔叔一起替那小不點紳士貓咪起的名字，我本想叫牠花澤類啦，但叔叔說名字俗氣點，會比較健康粗生），我本已準備每天悄悄回校探牠，這倒成了很好的藉口不被父母唸我在假期內天天出門。

但就在我想要點頭的時候，我的腦海卻想起芝芝。

若是這件事發生在他們約會之前，她一定要求跟我交換位置；發生在他們約會後的這個敏感時刻，她一定會不高興，難保不會大發雷霆。

所以我沒有立刻應承 Miss Wong，說是要考慮一下才回覆。

放學回家想了好久也沒法下決定，想著不如打電話探聽芝芝的想法，可是卻找不著她。於是我轉念一想，約了洋蔥到籃球場，問他的意見。

「我是不是很不該？」

「為甚麼？」

「他曾經打你啊，你不會惱我幫他嗎？」

「都說了事情不是這樣子的，他沒有打我啦，反而我卻有打他啊。總之，實情不是你想像的。」

我半信半疑：「真的嗎？但是就算你不生氣，芝芝也會生氣啊。明明知道她會不喜歡，但我還是想答應 Miss Wong……因為想像到林志旭要一個比他小兩級的女生督導功課，或者可以挫挫他的鋭氣，就好像很有趣似的。」

洋蔥望了我一眼：「妳好像有點興奮和期待啊……其實，妳是不是喜歡林志旭啊？」

咳咳咳咳咳咳咳咳咳咳咳咳咳咳咳——正在喝樽裝可樂的我被他這句話一嚇，嗆住了，咳嗽起來，一時間止不住，只能不停擺手否認。

「妳看妳，臉也漲得通紅了，不用那麼緊張，我只是問問。」

「咳……不是啦不是啦，我對他沒感覺！」

「妳確定真的嗎？其實……」他好像有些話想説，我立即打斷他：「真的真的真的，我沒有喜歡上他！絕對沒有！」

「那妳……真的討厭林志旭嗎？」

我想了想：「其實，我連話也從沒跟他説過一句，説不上超級討厭……所以，也不可能喜歡啦！你説，怎會有人連話也沒説過就喜歡上對方的？」

洋蔥説：「但……也有些人一見鍾情，二話不説就喜歡上的……妳不相信這種可能嗎？」

我嗤之以鼻：「如果有，一定也只是其中一方的錯覺囉。」我不明白為甚麼洋蔥會跟我討論起戀愛這課題。

洋蔥小聲的自言自語起來，我聽不見他怎回答。

我説回原本的話題：「雖説是不討厭，只是芝芝説，他會對女生毛手毛腳，所以我對他還是很有保留……」

「有些事，我覺得妳要用自己雙眼去證實。」洋蔥說：「而且，妳決定的事情只需要向自己負責就可以了。劉安芝雖是妳的好朋友，但妳也不用做每件事也先顧及她的。難道日後若有男生說喜歡妳，但劉安芝叫你不理他你就不理他？她又不是妳的太皇太后。」

我望著表情認真但同時又將對話扯回愛情想像的洋蔥，想著：真是少年情懷總是詩啊！下一秒，我故意坐開一點，掩住心口，露出誇張的表情：「怎麼了，為甚麼總是問我喜歡誰不喜歡誰這些那些啊？你不是轉了目標，迷上我吧？」

洋蔥：「才沒有啦！妳又不是那麼漂亮，我幹嗎喜歡妳，我又不是……」他愈說愈小聲，忽然止住。

「又不是甚麼？為甚麼不說下去，不是作賊心虛吧？」我還在說笑。

洋蔥忽然正色道：「雖然我不喜歡妳，但我覺得妳其實還是很不錯的……所以我覺得你要有自信。」他順手拍打了我的後腦一下：「劉安芝那邊，妳就不用理她好了。對林志旭，妳也不應該戴著有色眼鏡去看他，不妨用這次機會自己親身看清楚他！」為甚麼洋蔥總是為林志旭說好話呢？洋蔥沒再解釋，就只是叫我自己找答案。

我忽然覺得，眼前這個四肢發達的男生，今天的頭腦好像有點不簡單，說話總是裝作有點玄有點哲理。

不可能的……明明他每次考試都敬陪末座，小妹卻總是金榜題名！沒理由我的智慧比他高，卻要他為我解決疑難！於是，我第二日就回覆 Miss Wong，接下了這個特別的聖誕任務。芝芝知道後，悶哼一聲：「隨便妳！」沒多久我發覺，她開始對我不是冷言冷語，就是不睬不瞅，連在 ICQ 上跟她「喔噢」她也不回應。

我究竟有沒有做錯呢？還沒夠時間想明白，中三的聖誕假期就正式來到。換句話説，還迎來了我與校園王子的補習之約。

聖誕假期正式開始的第一天，我比約定的時間提早了一小時回到學校。

把招財抱在大腿上，那鬆軟毛茸茸的觸感，令我的心情好了點，而且平靜了點。無可否認，我心裡忐忑不安，可能是因為好朋友惱了我，也可能因為待會就要和林志旭單獨相處。

小貓咪已經長大了一個碼，聽校工叔叔説，原來除了我，還有另一個同學常常來餵牠，可是我們一直都錯開。枉我還以為牠是我的秘密貓咪呢……

招財從我懷中掙脱，然後就跑開自己去玩了。

我站起來，去了一次洗手間，確定了臉上沒污垢，頭髮也沒凌亂，撫順了校裙（其實假期回校是可以穿便服的，但打後每天都要配襯一番嗎？我可沒有那麼多漂亮衣服，於是索性穿回校服好了），才帶著緊張的心情來到自修室。

假期中的學校自修室，沒有人在，好靜，靜得蚊子飛過也聽到，也彷彿聽到我卜卜！卜卜！卜卜卜！的心跳聲。

我望望手錶，還有二十多分鐘才到約定時間，於是我定定神，索性拿出數學習題來做，讓數字和符號平伏我的心神。

每當專心做功課，進入狀態後我都會有點忘我。忘我到，林志旭已經來到我跟前，我還在破解習題。

「你，就是伍月吧？」

我抬起頭，看到一個好像全身閃閃發光的大男孩。太耀眼，差點就讓我想伸手去擋。呿，看清楚一點，原來是窗邊的陽光射入課室，才讓他的身影鍍上金邊。

由昨晚開始，我已經默默提醒了自己很多次：不能表現得像個花癡，結果出來卻活脱脱是個書呆子：「我是伍月，林同學你好。」

他像是皮笑肉不笑的牽牽嘴角，在我身邊坐下。

為免尷尬，我九秒九拿出準備好的筆記，輕輕説：「那我們開始吧。」

他比我想像中有禮貌，也比我想像中更聰明，許多算式，他其實一點就明，反覆做了幾道題，都幾乎全沒做錯。

兩個小時的輔導過程很順利，我由一開始的結結巴巴，到後來慢慢鬆了一口氣，在不知不覺間對話變成正常——雖然除了算式，我們沒有説過任何課本以外的話。

我也找不到任何時機，可以問他跟劉安芝的事。

我望望手錶：「那麼，做完這一道題，今天也差不多了。」

他「嗯」了一聲，默默地把題目做完。

我伸一伸懶腰説：「按照這進度，或許不用整個假期回來補習都可以呢。」他不置可否。

他沒有和我多談其他的甚麼（大抵根本看不上我），就跟我禮貌地道別，自己先走了。

我目送他的離開，望著他頎長的身影，發覺他的腿真長，穿牛仔褲相當修長好看。

我忽然想起，這是我第一次看到他身穿便服的樣子……呃……比起穿校服還要帥氣，還要有型有款。

我一個人留在自修室，半晌終於回過神來，這時才想到，我既忘記了對洋蔥所説的，要找機會奚落林志旭一下，挫挫他的鋭氣；也一點不覺得他像芝芝所説的猥瑣和流氓。在過去的這兩個小時，他對我一直保持距離，莫説毛手毛腳，連正眼也沒有停留過在我身上多過三秒呢（大抵真的根本看不上我）。

1.4

第二天，當我來到自修室的時候，林志旭已經早到了在等著我。

這一天也算順利——除了不知何故，今天他好多數學題都做錯了，害我要重複講解又講解，講到肚子都餓了，忍不住咕嚕咕嚕響了幾聲，尷尬得很。他露出了超級亮眼的笑容，我更尷尬了。

第三天，他居然帶了幾個食物盒來！

「答謝你替我補習，我讓家中工人準備的。」

他以為我是有多餓啊？我是沒飯吃的飢民嗎？我只是昨天起床起得晚，趕著出門沒吃早餐，所以肚子才會叫，有那麼衝擊你的同情心嗎？

打開盒子，有壽司小卷、有小巧的魚子醬火腿三文治、有切粒水果，最誇張的，居然還有切片鮑魚！

我吞了吞口水，肚子不爭氣地又咕了一聲。

他笑得極度爽朗（夠了，不要再笑，我快要瞎掉啦），「沒下毒的，一起吃吧！」林志旭還會講笑？

「那我不客氣了。」我是真的肚子餓，於是拿起小卷就往嘴裡放。

這一天，邊吃東西，我們邊 K.O. 了 Trigonometry 和 Probability 的所有題目。

幾天相處下來，加上今天他的款待，讓我對他的觀感已稍稍改觀。

有人説過，一起吃過飯就是朋友。那麼，我和林志旭是否已經算是……朋友？

即使是，跟我身處在不同星球上的外星朋友。

隔了周末周日，接下來的星期一就是24號平安夜。

臨走時，林志旭問我那天會否有地方要去，若沒有的話，他想要繼續補習。

我想起去年聖誕節，芝芝在家舉辦了聖誕派對，邀請了一大班女生去玩，然後大伙還去了看燈飾。而今年……

反正那天爸爸媽媽也沒有假放，我著實也沒有節目，於是我説了聲好。他看起來……好像……有點……高興？我思疑自己是否看錯了或誤會了，因為下一秒，他就已經變回酷酷的樣子，冷冷淡淡的別過臉。

星期日晚上，踏入午夜之前，我連上ICQ，想看芝芝是否在線，但她那朵花一直是紅色的。

我正想登出的時候，芝芝傳了訊息給我（那就說明她一直只是對我「隱身」，不想我跟她說話）。

❀Gigi：談一談。

❀月　：嗯，現在？

❀Gigi：妳跟林志旭補習的時候，他有沒有對妳幹甚麼？

❀月　：他會對我幹甚麼？妳是問……他有沒有對我毛手毛腳？

❀月　：沒有啊。

❀Gigi：那……他有沒有對妳說甚麼？

❀月　：沒有啊，他話也不多。

❀Gigi：真的沒有嗎？

❀月　：沒有就是沒有。

（不知何故，我不想說出我們一起吃東西的事。）

（芝芝的說話框一直沉默。）

※月：怎麼了？妳覺得他有話要對我說嗎……

※月：說……妳和他的事？

※Gigi：我是在擔心妳……他上次跟我看戲，起初也很正常守禮的，想不到後來熟了一點他就開始過分，不停摸我，還想伸手入去我的衣服啊……

※Gigi：就算他知道我喜歡他，他也不能這樣吧？阿月，既然妳沒遭他輕薄就好了，我勸妳還是不要再跟他補習，好嗎？

（這……憑這幾天親身跟林志旭相處和觀察，我其實半點也不認為他是芝芝說的那類人；但如果不信芝芝，那就即是指控她在講大話；芝芝雖然任性，但以往也沒試過誣衊別人，而且那人還是她迷戀的林志旭啊……沒理由說謊吧……）

※Gigi：怎麼了，不肯嗎？你喜歡上他嗎？我是為妳好才提醒你……

※Gigi：除非……

※Gigi：除非妳發姣，想藉此機會靠近林志旭，想給他摸，否則，實在沒理由一定要跟他補習！

（我還沒回答，芝芝已一輪嘴連環炮發，而我沒料到芝芝會說得這樣狠，心裡有氣，兩頰發熱，臉一定漲紅了。）

✽ 月　：喂，你怎可以這樣說我？我怎會想他摸我啊！

✽ Gigi：那你不要再替他補習，行不行？

✽ 月　：讓我想想……再決定吧。

✽ Gigi：不，你立即就要應承我。

✽ 月　：我說，讓我先想想……

（說完了，我就關上ICQ。不想再跟她爭拗。）

我倒在睡床上，非常生氣。

芝芝怎能這樣說我？為甚麼要用這樣咄咄逼人的語氣？就算她是我的朋友，也不可以如此權威，以命令式的呼喝態度，要我按她的意思去做。

雖然我的家貧，而她的家境優渥，但我接受不了這種形同主僕式的友誼！

洋蔥說的對，我不用聽她的。但……

我又為甚麼一定要執拗跟林志旭補習呢？

若因此而跟好朋友決裂，真的值得嗎？難道心底裡，我也很想接近林志旭嗎？

那一夜，我輾轉反側，想了好久，都沒有答案。

第二天起床，我躊躇著是否如期回學校照約定跟林志旭補習，門鈴響起。

我應門，居然是芝芝。

「阿月……對不起……」劉安芝的態度突然作了一百八十度轉變：「妳還當我是朋友嗎？」

「我……」看見劉安芝前倨後恭的變化，而且從不低頭的她竟然會跟我道歉，我覺得有點不知所措。

「昨晚的事……很對不起……但請妳相信我，我說的是真話……不過卻不是全部真相。真相是，雖然林志旭摸我的時候我很害怕，但心裡還是有點竊喜。」說著，芝芝哭了起來：「我很犯賤，我知道他可能只是玩弄我，但他肯摸我，即是對我有意思吧？不是嗎？從來也沒有女生可以靠近他的，我應該是第一個啊！後來想來想去，我還是很喜歡他……不想讓其他女生靠近他……我知道妳跟他獨處，就感到很不安……」

芝芝向來要風得風，眼前這個梨花帶雨的可憐模樣，我從來沒有看過。

從小到大，我都吃軟不吃硬，如果她依然像昨晚般霸道的命令，我才不會退縮；而她大概知道我的軟肋……

芝芝的眼淚好像水喉開了般一直沒關，啪啦啪啦的流個不停：「如果妳也喜歡他，我無話可說，但妳不是一直對他沒興趣的嗎？我求求妳，不要去跟他補習，行不行？」

眼前的芝芝，哭得好慘，楚楚可憐。我不知道她的話當中有幾多成是真實的，但她至少毫不掩飾她在妒忌。

為著甚麼也好，即使是源於醜陋的妒火，但朋友這樣放下身段，一把鼻涕一把眼淚的在哀求自己，我還可以忍心拒絕嗎？

除非，我像她所說的，已經喜歡上林志旭……

「好。我答應妳。」

「阿月，多謝妳。妳答應我，以後就算他找你，你也不要理睬他嗎？」

這句話真的令人很反感，但我還是默默點頭。

反正，他也不會來找我的。

芝芝看我答應了，立即擦乾淚水，露出笑意，還約我在隨後幾天去玩，然後滿意地離開。

她離開後，我撻坐在沙發上。真累。

老實說，剛才那幕，有點嚇怕了我。

為了愛情，人們都會變成這樣子嗎？

又哭，又笑；難掩妒忌、佔有慾和猜疑；不顧一切去掠奪；甚至拋下尊嚴、低下頭去懇求假想情敵……統統，都很可怕。

以後，如果我愛上一個人，也會如此？

不，才不呢！

我立誓，日後就算我真的喜歡上一個人，自尊還是不可丟失的。

而我才十五歲，並沒有想過要戀愛。

因為答應了劉安芝，我比約定的時間早了一小時回到學校自修室，為了不碰上林志旭而留下道歉的字條。

林志旭：
對不起，臨時有事，
不能再替你補習。
這本筆記寫了重點，
留給你用。
對不起，
祝你聖誕快樂～
伍月.

1.5

我以為，事情就這樣結束，沒想過假期過後回到學校，會是噩夢的開始。

班裡的黑板上，五個大字寫了一句令我非常難堪的說話：伍月正姣婆！

我不知道發生了甚麼事，但隱約認出，黑板上那些字跡，好像出自劉安芝手筆。

我步向她：「妳寫的？為甚麼？」

她狠狠地瞟了我一眼：「大話精！妳做了甚麼，自己心知肚明！」

「我不知道妳說甚麼！」她要我不跟林志旭補習，我就已經不跟林志旭補習了，她還想怎樣？

我感到很委屈，好想哭，卻死命緊緊咬著唇，抽著鼻，強忍著淚水。

我轉身拿起粉刷，抹去黑板上的字。

背後還是傳來竊竊私語，大家都像在看一齣好戲。

伍月，妳不可以哭啊，一哭出來，妳就輸了。

不知何時洋蔥來到我身邊，說：「妳去看看學生會告示板……」

我索索鼻子，快步走出班房，去到學生會告示板前，一看，差點眼前一黑。

告示板上貼了些偷拍照，照片裡的是我和林志旭在自修室裡補習的時刻，不得不讚攝影者，捕捉到的畫面看來很有愛：一張差不多是頭貼頭看同一頁書、一張是並肩吃東西、一張是我伏在枱上做練習而身邊的林志旭望著我在微笑……旁邊畫滿❤❤，寫滿聳動的標題：

極速緋聞　震驚全校

大熱倒灶、黑馬跑出？校花芝芝臨門一腳撻Q？

號外：灰姑娘擒獲王子歡心？

轟動全校！本年度最意想不到的震撼CP！

恨死隔籬，萬千少女芳心碎滿一地！

真是驚天大新聞、很勁爆的話題、值得起閧的緋聞啊——如果當事人不是我的話！甚麼灰姑娘？就算我是灰姑娘，我就得必須被王子相中和拯救？林志旭拿來玻璃鞋我就得乖乖穿上了嗎？

他就算再有千般好萬般好，我就得一定要俯首稱臣？像中了六合彩般去領獎？

我又氣又怕，這種場面，我駕馭不了！

悔不當初啊，這刻的我忽然真的很後悔，答應了 Miss Wong 替林志旭補習。彷彿感到全校林志旭後援會都在我背後發出怨毒的咒罵死光，我心想，我死定了，很想找個地洞鑽去。

就在我六神無主之際，身後有隻大手伸去告示板，把上面的照片和標語一一撕下。

我心底一涼，背部一寒——

不是男主角登場了吧？

我僵硬地轉過頭，我的天，真的是他！

我好像聽到來自地獄的呼聲，在我腦海裡放肆地叫囂。

「伍月……」不要，不要跟我説話，你想我死嗎？

我不由自主的用手撥開他，連跑帶跌地逃離現場。

我的心一直撲通撲通地跳個不停，好不容易才跑回課室，逃回自己的座位上坐下。

旁邊的劉安芝，明明顯顯地白了我一眼。

我不知道可以怎樣解釋：事情不是大家想的那樣……

但我知道，現在說甚麼都只會愈描愈黑，大家才不會因為我的三言兩語，而放過那麼津津有味的話題。

那一天，我親身深深領會兩個成語的意思：如坐針氈，渡日如年。

接下來的這兩個星期都很難挨，全校同學的指指點點、林志旭後援會的明罵暗咒、自居被搶男友般的劉安芝的單單打打……

還有，上課下課和午休時都要想盡辦法躲開林志旭。連上化學課時也務必去一趟洗手間，遲點才到實驗室，只為著不要跟他打照面。

也有好幾次，我遠遠看到他向我走來，便已落荒而逃。我知道，他應該是打算向我道歉或甚麼的，但是，如果給別人看到他跟我說話，我的下場只會更悽慘。

因為上星期他放話，叫大家不要為難我，就把我害得更慘啦，有兩個應該是他粉絲俱樂部核心成員的師姐，居然在我去廁所時，一盆冷水向我澆過來，淋得我濕了全身。

一月啊，現在可是一月啊，那是謀殺好不好？

至於那些八卦的同學跑來我跟前說甚麼：「原來長這個樣子？」「早知我都試試啦！」

「別高興得太早啊三八」這些都是小兒科，不值一提。

最搞笑的，是有幾個小師妹跑來說：「你帶給了我們無比的希望！原來這個世界真的有灰姑娘的！」令我都不知該生氣還是好笑。

儘管大家起鬨，把我和王子拉在一起，但我心裡可是很清楚，我並不是灰姑娘，我跟王子，根本從來不曾共舞，他也未曾對我傾心。

我想，為今之計，只有裝作沒事人，讓時間把事情淡忘。

幸好，在我最心煩意亂的時候，還有超級可愛的招財每天賣萌逗我開心。

這星期，流言蜚語已稍稍平息。大概因為湊熱鬧的人發現沒戲可看，慢慢也就沒新材料可以加鹽加醋去說。

班上平時和我較要好的男女同學眼見我根本沒有和林志旭接觸，也開始相信我是受害者，慢慢和我恢復平常交談。

我暗暗鬆一口氣。

不過就在我鬆懈的這一天，又發生了戲劇性的事故。

這天我走在沒甚麼人的梯間時，遭到幾個不懷好意，突然跑過來的女生的故意推撞。她們撞了我就跑走了，而我卻失去平衡，腳踏空，眼看就要滾下樓梯……心想，死了死了……

電光火石間，仆倒在地之前，少女漫畫裡的情節出現了……

咦，頭沒破血沒流，有人在下面把我接住呢！這個幾乎被我騎在身上的人肉軟墊，跟我的肌膚之貼近把我嚇得尖叫起來！

又是他！

林志旭！

我趕緊爬起身來——死定了！死定了！慌忙間，我只想著：死定了！

環目四顧，幸好那幾個犯人早已逃之夭夭，而且這刻下四目無人。我體內的自衛機制啟動：速逃！

怎料，在我開步之際，手臂被人拉著！

幹！林志旭你幹嗎拉著我？

我立即甩開他的手，未等他開口，便已連珠炮發：「甚麼也不用說。你不用擔心，我沒有喜歡你，你當然也沒有喜歡我。現在我最怕就是看到你。你也不用覺得抱歉。之前的事最好大家都忘了。以後大家不拖不欠，各走各路。你就當做好心，放過我，讓我重回平靜，好嗎？」我說個不停，不讓他插口。

他沒作聲，良久，才冷冷地說了一句：「你……很討厭我？」

我為求盡快脫身，不然等一會有人經過就慘了：「甚麼也好啦，總之我們不要見面。不要交談。再見。」說完就匆忙離開。

原來那天的話別，竟是我在學校裡，最後一次見到林志旭了。

那天放學，我獨自走上回家路……大概最近幾星期的心情太繃緊，所以覺得很疲累很低落。

本想以為不爽的事已到尾聲，想不到回家途中，再度遇見上個月那幾個曾欺負我和芝芝的紋身惡棍。

他們走過來，二話不說就給我一記耳光。

紋了一身老虎的那個混混說：「這一巴就教訓妳上次對本大爺不敬，看妳以後還敢不敢那麼囂張！」說完就立即離去了，想必他們也害怕被人發現吧。

而我就只有呆立當場。做不了任何反應。

自出娘胎以來，我從沒被人這樣打過。我感到一陣熱火湧上心口，卻又怯懦得不敢追上他們。

我怕事情會鬧大，但又覺得好不服氣。

我撫著熱辣作痛的左邊臉頰，連同這幾星期以來的屈辱一下子蜂擁回想起來，終於忍不住在街頭哭了起來。

我的手掩著面，淚水不停在指間汩汩流出。

我從來不是一個嬌縱愛哭的女孩子，已經許久沒有這樣哭過了。

但這一次，我哭得止不住淚。

我不停想：我是不是交上晦氣霉運，犯太歲甚麼的？要不要叫老媽帶我去拜神啊？

不忿的心情，一直維持到第二天。回到學校，卻又旋即被另一件大事轉移了視線。

林志旭，灰姑娘故事中的王子，居然被學校勒令停學！也有說是更嚴重的被退學開除了！

原因是，他昨晚跟人在街上毆鬥，最後被押上警局。所以即使校方一直那麼喜歡他，到這時也包庇不了。

至於他為甚麼會跟人發生衝突，卻沒人能夠說得出來。

不過他那會考班的同學卻又說，林志旭已一早說過不打算考公開試，故意生事可能只是為了讓他爸爸早一點送他去外國讀書。

不論真相為何，這一天，學校的女生都愁雲慘霧的，有的更真的哭了出來。

就這樣，萬人迷竟戲劇性地突然在學校消失不見了。

所有的別離，可能都是突然而來，令人措手不及的。

就正如不知何故，幾天之後，我發現，連招財也不見了。

我跑上跑落，找遍整個校園，甚至是校園方圓百碼以外，就是沒了牠的蹤影。

校工叔叔說，牠可能已長大成貓，所以離開學校向外闖蕩江湖呢。沒有了招財，我的心好像若有所失，缺了一個大洞。

農曆新年過後，中三的下學期，香港發生了很多大事。以至於我覺得個人這些芝麻小事，原來都算不上甚麼回事。

「沙士」爆發，我們都停學了。

張國榮逝世，那天我也再度哭了——因為同一個愚人節，我的爸爸被證實患上末期癌症。

復課以後，我把精神放在追回課業進度上，和芝芝雖然有重新說回話，但友誼卻已不比從前。每天放學，我都想待在家陪伴爸爸。而完成中三課程，她甚至轉校了。

那年七一，首次有幾十多萬人上街遊行，我想起芝芝的媽媽正是在被罵要下台的高官手底下工作，便想著不如冰釋前嫌，打了通電話給她：「劉安芝，最近好嗎？」

可是劉安芝顯得很冷淡，只淡淡的說了聲：「嗯。」

我是很敏感也很怕尷尬的人，可是也很重視友誼，總認為之前發生的事只是妒忌引起的誤會，於是我盡最後的努力：「何時有空出來逛街？」

「好，找一天吧。再說好了。」便掛上電話。

我自討沒趣，也就決定不再把她放在心上。
而她不在之後，我也很少想起林志旭了。

1.6

升上高中的第一天，隨即又有別的事情發生。

一個男生轉校到我所讀的班別，他就坐在我的鄰座。

他長得頗帥，五官分明，如果票選班草，不用點票了，他一定當選。

既然林志旭已經不在，他或許夠資格當校草。

說起來，他跟林志旭也長得有點相似，或許，帥哥的模樣都差不多。只不過，林志旭黝黝黑黑，是運動健將類型；這男的比較白和瘦。

而最大的不同是，他一定比林志旭親民、健談得多。

因為他在坐下的30秒後，就立即跟我攀談起來。

「妳好，我叫溫樂景。」

溫樂景？

「妳呢，妳叫甚麼？」

「伍月。是一二三四五的五月加了人字旁。」

「很特別的名字，那妳叫我阿樂啦！是了，妳放學後有沒有空？」

「甚麼？你想約我？」

「是啊。」好直接的男生！

「你想約我去哪裡？」以往對男生總是有點戒心的我，面對他，卻不覺得討厭。我跟他，聊得像是老朋友。小息時，就有同學問我，是不是以前就跟他認識。

唔——該怎麼說好呢？我跟他，其實真的並非第一次見面。儘管，他似乎並沒有把我認出來。

「剛開學，沒甚麼事做吧，最好去玩啦！」

「去哪裡啊？」

「去溜冰好不好？」

「我不懂溜冰。」

「那麼，去游水。」

「不要。」拜託，我不會在剛相識一天的人面前穿泳衣好不好？而且因為我曾經遇溺，變得怕水，都好幾年沒游泳了。

「那看電影好不好？妳喜歡甚麼類型的電影？」

「還是不要了，我跟你還不太熟絡，遲點再約吧。」

「原來妳怕陌生，不要緊不要緊。但妳實實在在不用怕我啊，因為我是好人來的。嘻嘻。」

他一整天都在滔滔不絕。這一天的所有課完結前，我已經知道了他之前讀哪一所中學、在單親家庭長大、是獨生子、跟母親二人住在勵德邨……亦即是說，跟我一樣。我沒告訴他，我也住在同一條邨，放學時也故意撇開他。

以他那裝熟魔人的性格，我想他會時常來找我。

開學一星期，他每一天都約會我。

每一次，我都拒絕他。我雖然是長得很親切（即是沒艷光那種鄰家女孩）沒錯，但其實我是個很會自我保護的人，在我還未清楚他的為人之前，我是絕不會答應的。

因為，我從來就沒跟男孩子真正約會過（雖然常跟洋蔥約去打籃球，但這不算數）。哪能如此隨隨便便，就跟男生外出啊！

雖然沒跟他約會，不過我給了他我的 MSN 帳號（自從灰姑娘事件那時不斷有人通過 ICQ 傳訊息罵我之後，我已刪了 ICQ；反正現在 ICQ 也沒人用，全轉到 MSN 了），然後，就是電話號碼。

之後，每逢上網，他就一直傳來訊息；晚上，又會常常給我來電，說的都是一些很無聊的事。

這個星期一的晚上，做好功課洗過澡後，我拿出五月天剛推出的新專輯《時光機》，想要靜心欣賞，電話卻又響起來了。

我拿起聽筒接聽：「喂。」

電話筒傳來阿樂的聲音：「我找伍月。」

今晚我只想好好聽歌和看小說啊。跟他講電話，最低消費起碼半小時。

於是我把嗓子壓低：「她已經睡了。」

「哈哈哈，想扮聲耍我？我一聽便知道是妳啦！」阿樂笑說：「妳真淘氣啊！」

天啊！他是甚麼構造的？正常人在這樣情況下，就算認出我的聲線，也會知道我是不想講電話而自動掛線的，但他竟以為我在跟他玩？

唉，真不知該生氣，還是該笑。我服了他。

他的話題一個接一個，譬如問我最喜歡新專輯哪首歌啦，我說我都根本還沒有好好聽一遍就是暗示他快快收線啦，但他還是足足跟我說了個多小時才掛線。

第二天，他照常的在我身邊喋喋不休。

有時我會想，他不說話十分鐘，究竟會不會死？

雖然他很吵，但他並非讓人討厭的那類人。而我，也早習慣了他的口若懸河。不過我今天喉嚨有一點痛，所以我沒有多答話，就由得他自己說話。我不斷點頭，偶然回一兩句話便算。

午飯之後，我發現桌子上多了幾盒喉糖。

於是我問他：「這是誰放下的？」

他一副好人模樣：「我買的。我聽得出妳喉嚨不適，但又不知妳喜歡甚麼味道，所以買了不同味道給你，妳自己挑吧。」

把喉糖含在嘴裡的時候，我承認我是有點點感動的。

除了喉糖，有時候他也會買一些小零食給我。

覺得我冷，會跑去調低班房的冷氣溫度。

中午時我吃不掉全份便當，會挨義氣替我「包底」。

我唯獨物理科不夠他好，他又會把那些公式和概念詳細解釋給我聽。

雖然這些都是很小的事，但女孩子，不就最喜歡別人對自己關懷和細心嗎？

阿樂雖然有點聒噪，但的確算得上是一個心思細密的人，所以，我終於接受了他的約會。

星期六的中午，我們相約到添馬艦的歡樂嘉年華遊玩。

我在門口等了差不多十五分鐘，這才看到阿樂從不遠處跑來，在他身旁，還有一個少女。

她是誰？他的妹妹？還是……

在我亂想之間，阿樂他們已站在我面前：「她叫程欣欣，是我的女朋友。」

答案其實我早已猜到，不過在他說出口的一刻，我還是覺得有點難以接受。

或者該說，我不懂得如何反應才對。

既然你有女朋友，為何每天還要跟我通電話，為何經常請我吃不同的零食，又為何在第一天上學，就約會我？

我一直也以為阿樂對我有意思，原來只是我一廂情願的想法。

或許，一個男生對另一個女生好，不一定涉及愛情，可以只是純粹出於友誼。

我堆起應酬式的笑容，對程欣欣說：「我叫伍月，妳好。」

程欣欣笑，可我覺得她對我有點敵意：「我知道啊，阿樂經常提起妳的。妳叫我欣欣啦。」怎麼一直多話的阿樂，卻從來沒跟我提過妳？

我看到程欣欣緊緊的挽住阿樂的手臂。她笑的時候嘴角泛起酒窩，甜美得很。就連我是女生，也禁不住要多望兩眼。

她跟芝芝是不同類型的女生，卻同樣是一望而知的美女。

這時阿樂喊：「不要站在這裡了，快入去玩吧。」

嘉年華的機動遊戲，大部分都是雙人座位。我覺得自己此行是多餘的，好像一個電燈泡。我不明白阿樂把我叫來的意思，我真的不明白。

但我找不到藉口離開，離開，就即是示弱了。雖然我的心，難受得很。

嘉年華內的人們都好像很盡興，我卻覺得一點都不好玩，爛透了！爛透了啊！

好不容易，黃昏時分，他們玩夠了，說要走了。

「一起去吃晚飯吧！伍月，妳想吃甚麼？」

我只想回家。「我不去了，我要回家了。」話才出口，我就有點後悔了，我好像有點晦氣，有點小家子氣。

但阿樂像是並沒察覺：「那麼早就回家，不是吧？」

程欣欣也說：「一起去吧，我也想對妳有多點認識嘛！妳是阿樂的好朋友，也就是我的好朋友啦！」

好朋友個鬼！我搖搖頭，「不了，再見！」說完就轉身離開。

當我背向他們走的時候，我發現，自己的鼻頭居然很酸。

而且很生氣！嘉年華的機動遊戲和攤位遊戲，每玩一項都是要錢的，而且還不便宜，為甚麼要叫我來啊大笨蛋？

你是存心作弄我嗎？

星期一的早上。我一步入班房，阿樂便向我衝了過來。

「伍月，妳沒事吧？」

我故作輕鬆：「我會有甚麼事？」

「星期六那天你好像悶悶不樂似的，又不跟我們食飯。我擔心妳身體不適，後來打電話給妳，又找不到妳。」

「我身體無恙。」

「真的嗎？」

「真的。」

我不想跟他說話，連望他也不想。

我就是這樣的女孩。我的自尊心，比甚麼都重要。

我不想讓自己可能或許說不定已喜歡上他的事讓他知道，那我只有狠下心腸，不理睬他了。

除了愛情，生命中還有很多重要的事情。

明年就要會考了，要專注讀書。

爸爸的病愈來愈差了，要好好看顧他。

家裡的經濟更拮据了，有時間的話，要替小學生補習。

我告訴自己，我沒有時間，能那麼奢侈花在談戀愛的荳芽夢上。

我向老師要求調位，不再跟阿樂坐在一起了。

我把 MSN 也封鎖了，也很少上網聊天了。

我跟阿樂說，為了不要吵到爸爸，晚上不要再打電話給我了。

而中四的時光，很快就過去了。

這段期間，我和阿樂的接觸很少。少得像連普通的同學也不如。

曾經，我們試過被一些視為好友的人無故冷落，疏遠。

每當發生這種情況，我都會想：明明我們昨天還很要好的，怎麼會突然變成如此？

這種感覺極不好受，但想不到，現在我也會這麼對待別人。

但我沒法子，知道了自己的心意之後（不承認還得承認），我已經不能像普通朋友一樣，裝作若無其事，待在自己喜歡的人身邊。

我也不是未曾想過，要把阿樂爭奪過來。但念頭一閃即逝，很快就被我壓下去了。

我不想面對我心目中的慾念、我心裡的妒忌。

我是自私鬼，我是膽小鬼，我是沒用鬼，我是甚麼都好。

我只是不想受傷。

雖然我已經覺得被傷害了。

1.7

暑假來了，這個夏天悶熱得很。

老爸的情況時好時壞，我每天待在家中，邊溫習邊陪伴他。悶得發慌。

生活乏味，直至那一天，中國鬼節前一天。

我撞鬼了嗎？當然不是，但對我來說，驚嚇程度也差不多吧。

住慣屋邨的人都知道，為了令屋子通爽一點，一到夏天，家家戶戶都會把大門打開。

雖然好像沒甚麼私隱，但鄰里間感情卻又相當融洽。

這一個晚上，我穿得很隨便，蹺起二郎腿在家中吃著晚飯。（是的，我從沒說過我是很有教養的那種女生。畢竟是「屋邨妹」，我其實是蠻粗魯的。）

我聽到竹籮磨擦地下的聲響，從遠至近。

每晚這個時間，清潔的嬸嬸會收取門外的垃圾。

磨擦聲在我的門前停下，我不以為意，繼續吃飯。

未幾，我感到門外有一雙眼睛瞪著我。

我留心一看，連飯也噴了出來！

數不清的飯粒落到坐在我對面的爸爸臉上。

「阿月在發甚麼神經啊？」

「哈哈哈，搞甚麼鬼啊妳，哈哈哈哈。」媽媽忍俊不禁。

而我卻尷尬非常。

我的蠢相竟被門外的他看到了。

今天來清倒垃圾的不是平日來的嬸嬸，而是——溫樂景。

怎會這樣的？

我跟他目光交接了一下，連話也沒有說，他就走了。

我的心在怦怦地跳。

怎會這樣的？

吃過飯後，我望著電視機，是我平日有追看的劇集《大唐雙龍傳》，但怎也不能集中精神，腦海仍不斷在想著剛才阿樂出現的畫面。

他怎會無端白事當了清潔工人的？

就在我百思不得其解之際，電話響起。

我的心跳漏了一下，我感應到，似乎是他。

「喂。」

電話的另一方：「伍月，是我，溫樂景。」

真的是他，我心跳加快起來，但故作鎮定：「甚麼事啊？」

「有沒有空見個面？」

「現在？有特別要事嗎？」

「呃……沒有。但我真的想見見妳。就是現在。」阿樂的直接叫我一時間不懂應對。

我還未回答，他就又說：「我就在你樓下等妳。」說罷就掛了線，根本不給我回應的機會。

臭小子，你以為你是誰，你要見我，我就要給你見著嗎？

可是我的手，不受控地拿起鎖匙。

我的腳，不受控地踏出大門。

我的嘴，不受控地說起謊言來：「媽，我去看神功戲啊！」

但隨即我又在心裡安慰自己，其實這也說不上完全是謊言啊，因為我有一個習慣，就是每年盂蘭節前夕也會去看神功戲的。

溫樂景，果然站在樓下等我。

他甫見我出現，即露出了笑意：「想不到妳真的來了！」

「你別誤會，我只是去看神功戲。」我真是個口是心非的人，蠢斃了。

「神功戲？」我知道他根本就不會相信我真的喜歡看神功戲。

但他這樣說：「我也愛看神功戲，不如我跟妳一起去吧。」

就這樣，我和阿樂就來到由足球場臨時搭建的戲棚。看著台上一個個面上化上濃妝的大花臉在演戲，總覺得很有趣，雖然他們唱的大多都是潮州曲目，但也非常吸引。

可是，坐在我身旁的阿樂卻不住在打瞌睡，一副很悶的樣子。

「阿樂，很悶嗎？」

「不不，很好看啊！我只在想，為何鬼節會有這些神功戲看而已。」

「神功戲是中國傳統祭神儀式，為答謝鬼神及祈求一年的風調雨順而設的。」

「哦，原來如此。」他根本就無心知道。

看過大戲後，我們來到維多利亞公園。

我們已經很久沒試過像這樣單獨相處了。

「你怎會當了清潔工的，之前的嬸嬸呢？」

「她生病了，晚上我看她清理圾垃時咳嗽得很厲害，於是我就跟她說要幫她，叫她回家好好休息。」

噢，他的心腸原來也不錯。

「伍月。」阿樂忽然喚我的名字。

我瞪大眼睛：「是，怎麼了？」

「妳是不是喜歡我？」想不到阿樂這麼輕易，就爆出這一句說話！

我慌了：「你發甚麼神經！你真自戀！我才沒喜歡你！」一連三句加重語氣的回覆，連我自己都覺得有點反應過度。

阿樂笑得有點壞：「不用說謊了，我知道妳是喜歡我的。」

我漲紅了臉：「你這樣說，有甚麼理據啊？」

「添馬艦那一天，就是我的理據。自那一天後，妳就刻意疏遠我，關係比一般的同學還要差。之前我們明明很要好的，為何會無故變成這樣？我很難過，也很難受，整個人也沒神沒氣。欣欣見我這副樣子，便問我發生了甚麼事，於是我就一五一十告訴她你對我忽然冷淡的事。」

笨蛋！他是那種單細胞的傻瓜嗎？怎能告訴女朋友如此在意另一女孩子的？

他繼續說：「我一直都提不起勁，就連跟欣欣拍拖，我也想著妳的事。」

「後來，欣欣向我提出分手。」

我呆了眼：「甚麼？」

「她說，跟我一起好幾年了，但從未見我如此消極，如此茶飯不思。」你有嗎？

「她一口咬定，我是變心了，說我喜歡了妳。」那你說呢？

「她這樣說，我剛開始還不願意承認，因為一直以來我也視妳為我的好朋友。後來想了又想，才知道她是沒錯的。」怦怦，我的心漏了一拍。

「我已經在不知不覺間喜歡上妳了。」我聽著都慌了，為何你能那麼隨便說出口的？

「不，我想我一開始就對妳有好感了。不然，我不會一認識妳就纏住妳。不會一直沒告訴你我有女朋友。」花心鬼！討厭！

「那天終於約到妳了，我很開心，想了想又覺不對勁，所以就把欣欣也叫去了。心底裡，可能是想讓自己看清楚，是不是真的只單純把你當朋友。」哼……

「結果，其實我、欣欣和妳都知道——我喜歡妳了，妳也一定是喜歡我的。」怦怦，怎麼你一點都不害臊的？

聽了他一口氣的真心剖白，我好久好久沒有出聲。

「怎麼了？我和欣欣已經分手了。妳……可以給我機會嗎？」阿樂還是很直接。

我沒有像他一樣直接，回答他這條問題，反倒問他：「你跟程欣欣是在小學六年級認識的吧？」

「我好像沒說過給妳知，妳怎會知道的？」

「你是讀信宏小學上午班吧？」

「我有跟你說過嗎？」

我搖搖頭：「阿 King。」

「甚麼阿 King？」

「賭俠 1999 的阿 King。」

「甚麼？」

「你還記得小學六年級的時候，曾與一個下午班的同學玩傳紙仔遊戲嗎？」

「傳紙仔遊戲……」阿樂想了想：「我記得了，那時我說我的名字是阿 King 吧？我也沒說謊，我的名字也有個 King 字啊！」

我笑了笑，終於把這件事說出來了，感覺非常奇妙，妙到不能形容。

阿樂望著我的笑臉，一下子就想通了：「跟我玩傳紙仔遊戲的下午班同學，就是伍月妳。妳是幾時發現的？」

我是幾時發現的？從他踏入班房，告訴我他叫溫樂景那一刻，我就知道了。

我微笑不語，他又說：「我們真有緣啊！」

是，我跟你的確很有緣。你可知道，這些年，我不斷在屋邨裡遇見你？

在麥當當、在酒家、在公園、在文具店，我都曾經見過你，只是那時我也還沒認出，你就是畢業生名錄上的溫樂景。我只是覺得你的臉孔，一直都給我很熟悉的感覺。

直至你轉學到聖彼得書院，直至你變了我的同班同學，再次用同一個課室，而不再是一個上午班，一個下午班。

這全都解釋了，我對這個煩擾的男生，為何會這麼在意。

為何我會讓一個轉校的男生，跟我每天 MSN？

為何我會每天跟你通電話？

為何我會因為你帶女朋友來約會，就生氣起來？

原因，其實我一直都知道。

屋邨雖小，但常常撞見同一個人，我想，那是小小的緣份。

能成為同班同學，還坐到我的鄰座來，第一天就讓我得知，你是那個小時跟我傳紙仔的「阿 King」，那更是緣份。

這時的我，真的這樣以為。

以為自己很有當少女漫畫或言情小說女主角的潛質——儘管我從不愛看。

阿樂興奮地說：「怪不得我跟你一見如故！當年我和妳雖不曾見過面，但卻總好像有說不盡的話題，我原以為可以和妳成為更好的朋友，怎知妳慢慢對我冷淡。想不到幾年以後，我們真的認識了，妳又再次疏遠我。」

我瞪他一眼：「這是我想要如此的嗎？」

他笑得帥氣：「我明白了，今次妳是妒忌，上一次，妳也是妒忌，是不是？」

「哼，是誰有異性無人性呢，認識程欣欣之後，就只不斷在說她的事。」

他拉起我的手：「對不起。」

我低下頭：「這一次又是這樣。明明已經有了女朋友，又要接近我，讓我誤會。混蛋！」

他突然抱住我：「對不起。是我不好。」

這麼親密的舉動，令我全身也僵住了。

阿樂不停在我耳邊說：「對不起，對不起，對不起，對不起，對不起，對不起，對不起，對不起，對不起，對不起！伍月，我答應妳，以後也不會令妳難過傷心。」

聽到阿樂這樣說，我的心揪緊一下。

我沒有談過戀愛（灰姑娘事件不算數），也從沒給男生擁抱過（王子拯救我那次也不算數），望著眼前這個親切的男生，他不像林志旭般是來自第二個星球的異性生物，而是平起平坐、門當戶對、有共同話題的地球人，我覺得……或者我們會合襯匹配。

他深情款款地回看我：「做我的女朋友，好嗎？」

此刻的我，感到天旋地轉，好像有一股熱力流傳全身……

我想，我的兩頰一定已經變得通紅。

我不敢再直視眼前這個男生，沒答應，也沒拒絕，只低低把頭垂下。

這樣的反應，相信阿樂也知道，我已經失去了抵抗的力量。

他緊緊地握著我的手。

這是我自出娘胎以來，除了爸爸之外，第一次被男生如此緊緊捉住我的手。

我很害怕，卻又滿心歡喜。

踏入盂蘭節，阿樂正式成為我的男朋友。一年半前還是非常害怕戀愛的我，居然也來到這一天。

我，初戀了。

1.8

中五是中學生涯很關鍵的一年。

雖然我跟阿樂拍拖，但我絕不可以因此而荒廢學業。

我在心裡，一直這樣告誡著自己。

我也跟阿樂約好，不能在學校或穿著校服時拉拉扯扯。雖然身邊也有不少情侶同學明目張膽不避嫌似的，可我就是覺得這樣有點礙眼。

儘管如此，但很快還是有同學知道我們在一起了，之後的好幾星期，我們的新關係，就成為了大家取樂的話題。

每天都在追趕課程、操練試題中度過，真正談戀愛的時間，很少。

由於要準備會考，因此我們放學後、假期時的約會，最常去的地方是到自修室溫習。我們的交往，直到現在，還是很純情的。

畢竟才十六歲，我真的不打算，在這個時候，跟他做出越軌那回事。

我不知他以前跟程欣欣的拍拖模式是怎樣的（因為我裝作不好奇，沒問過），只是他曾跟我說，程欣欣的家教很嚴，他們以前原本就很少機會約會，就算外出，九時前也一定要回到家裡。我猜想，他們該沒那種關係吧。

扯到那麼遠，其實我們要走到這一步，還早著呢！

拍拖快四個月了，我們連接吻也沒有。

我們有牽手，有擁抱，有依偎，就是沒有接吻。

可能是地點不適合吧，我接受不了在公眾場所做這回事。說過了，我們見面都在學校呀自修室呀，怎看都不是好地方。

再說，我對初吻這回事，看重得緊——占卜不是說過，我的真命天子，就是奪去我初吻的人嗎？雖然好像很迷信，但誰叫我相信。

那麼，我就更不能隨隨便便、馬馬虎虎就讓這事發生了。

好幾次，阿樂趁機想要吻下來，我都巧妙地避開了，吻只落在額上，臉上，耳朵上，嘴唇卻一直保住不失。

阿樂大概在猜想，我是個很保守的女孩。其實我跟阿樂一起，算是很開心，我也不抗拒跟他親暱一點，但他是否就是將要羈絆我一生的人？我有所保留。

牽涉到一輩子的事啊！機會只得一次，萬萬不能兒戲，不能掉以輕心。

聖誕節了，雖然假期還是要以溫習為主，但能出外玩玩的機會總算是多了。

而且，今天，是一個特別日子。

是我的十七歲生日。

昨晚阿樂就已經在電話裡預告：「明天是你的生日，我已為妳準備好了一連串精彩節目。」

「真的嗎？其實也不用太特別，只要能跟你一起逛逛吃頓飯，我已經很開心啦！」

雖然口裡我是這樣說，但我滿心期待著驚喜。

「我和妳過的第一個生日，怎可以普通啊。」

「那你準備了甚麼節目？」

「嘿，這個我現在當然不能透露囉。明天十二時，我在妳樓下等妳。」

「好，那麼我們明天見。」我正想掛線，卻被阿樂阻止。

「我不想掛線啊，跟我多說一會吧。」

阿樂就似有說不完的話題，每天掛線前，總是顯得不捨。

其實我是比較撇脫的那類人，不太喜歡煲電話粥，總覺得有點浪費時間，間中也會覺得喋喋不休的阿樂有點煩氣，但由於我喜歡他，所以也就沒所謂了。

今天剛好是星期天，一覺醒來天氣晴，總覺得會遇上好事，也因為是第一次跟「男朋友」這號物體過生日，所以心情非常愉快。

以往的星期天，我總是遲遲也不願起床，因此媽媽看見我就說：「今天發生了甚麼事，轉性嗎？」她連我生日也忘記了嗎？

「睡不著就起來，沒有甚麼特別。」

「那我現在去打麻將，中午飯妳自己吃吧。」說完就走了。媽媽以前就喜歡打衛生麻將，可是近來，卻好像開始有點病態。她試過24小時不眠不休竹戰，爸爸也試過為了她輸了整個月的家用而跟她吵起來。

再年長一點我才明白，媽媽之所以變得如此，大概是對爸爸生病的事在作逃避吧。現在的我，只覺得有點擔心，因為家中的開銷愈來愈拮据。

算了，煩惱的事，多想也解決不了。況且今天是我的生日嘛！

倒是爸爸，今天精神很好，下廚為我做了早餐，有壽麵和紅雞蛋，還包了個紅封包給我。

「囡囡，要做一個快樂的人，要愛自己，將來，也要找一個真心愛自己的人。」爸爸忽然語重心長地跟我說。

也是到後來我才知道，這是他給我的最後一次生日祝福了。

我比約定的時間早了十分鐘下樓。

沒多久，阿樂便出現了。

「妳今天很漂亮！」過獎。是的，我是有稍稍打扮過啦！

我笑了笑：「你很準時啊！」

阿樂牽起我的手：「好，開始我們生日之旅吧！」

由於阿樂故作神秘，所以我對今天他有甚麼安排，其實是有一點期待的。

豈料他所說的驚喜節目，原來只是帶我看了一齣《功夫》，然後去了吃薄餅。

當然無可否認，《功夫》是一齣很有娛樂性的電影，我也看得很開心。

當電影來到周星馳身中肥仔聰小刀一幕，全場都在捧腹大笑，阿樂突然哎吔了一聲。

「甚麼事啊？」

「沒事，只是椅背被人踢了一下。」

阿樂轉身望向身後，原來有一人在離場時，不小心踢到他的椅背。

這麼一齣好戲，竟然有人中途離場？不過事不關己，我還是繼續看好戲吧！

看完電影，吃過薄餅，已到了黃昏時分，阿樂的下一輪節目竟然是……

竟然是帶我到沙灘看日落。

或許他以為，少女都喜歡看日落，認為這很浪漫。但我並非粉紅系言情小說的信徒，所以我個人覺得，這所謂浪漫，其實有點老套。

阿樂指著遠方的日落，露齒迷人一笑：「妳看，今日的日落多美！」

我應該脫去鞋子踢起水花配合嗎？可是我今天沒有穿白色飄逸長裙。

拜託，對白好老套啊，我的雞皮起了疙瘩。

這就是一個令我驚喜的生日嗎？

夕陽西下，阿樂站了起來：「我去一去洗手間。」

十分鐘過後，天色漸暗，而他仍未回來。

我猜，如果他只是去小解的話，應該早就回來了。

他是去了大解嗎？我相信不是。因為以我跟他這種剛起步的情侶關係，除非肚痛吧，否則他仍然會介意我知道他去了大解。以我常看《金田一》而鍛煉而成的推理強人腦筋推斷，他應該是去了預備生日蛋糕給我。

有時我也希望自己自作聰明。希望我的估計有錯，因為我很怕在眾目睽睽下切蛋糕。

更怕，他會當眾唱生日歌給我聽。

祝妳生日快樂　祝妳生日快樂

不過驚也沒用，阿樂真的捧著一個點滿蠟燭的蛋糕出來。
救命，我感到四周的眼睛也在看著我，好尷尬啊！

祝妳生日快樂　祝妳生日快樂

為何唱那麼久還未唱完的？我尷尬死了。
不用照鏡，我也知道我一定臉紅耳赤了，所以索性垂下頭。

阿樂跪在我面前：「不用害羞，許個願吧。」
我心中默許：「但願這尷尬氣氛能快點過去。」
阿樂：「許過願後就可吹蠟燭了。」
我急不及待，深呼吸，務求一口氣就把蠟燭全吹熄！這時身旁的人居然為我鼓起掌來。
是替我開心，還是讚許我的肺容量？
我不情不願，對他們強裝出笑容。
他們都對我報以羨慕的目光，我卻希望他們能快點散開。走啦，還在看甚麼啊？
「祝妳生日快樂。」
「妳的男朋友仔好有情趣。」

「你看她，開心得滿臉通紅了。」

他們你一句我一句地説個不停，真有夠我好受。

搞了十個世紀那麼久，他們才終於散去。

阿樂把一份切開了的蛋糕遞給我。

冬天的海風好冷，刮在面上好痛，還要坐在這裡吃蛋糕，就算肚餓也沒胃口。

不過我還是很捧場地把蛋糕全吃掉。

吃完蛋糕，天色已經全黑，抬頭一看，我看到天上有很多亮晶晶的星星。

這片夜空，是我今天看過最好的畫面了。

沙灘的遊人也慢慢散去（因為入夜後真的很冷），阿樂也沒有多説話，我終於享受到難得的寧靜。

阿樂望著我狡黠地笑了笑。這種笑容，我懂得了，他一定又有「驚喜」給我了。

他把手插入沙裡。

這個情節我曾在某套電影中看過，等會兒，他就會在沙裡取出一份禮物來。

果然。

阿樂取出一個玻璃瓶：「送給妳的。」

看那電影的時候我已經在想：「主角為何要把禮物埋在沙裡而不放在背包？要是給別人取了怎算？」

難道這就是情趣和所謂的浪漫？對於我這種實際型女生，這些行為簡直匪夷所思。

老實說，我一點也不感興奮，但阿樂那麼有心，我總不能掃他的興。

所以我裝了個驚喜的反應：「嘩，甚麼來的？」

我覺得自己有點浮誇，原來，我也有如此虛假的一面。不過騙得到阿樂便可以了。

「打開來看看。」

直到打開它為止，我仍覺得阿樂今天所做的一切，是相當老套的。

但當我打開玻璃瓶，我倒真的有點驚喜。

玻璃瓶裡有十卷捲起了的紙張，而每張都寫上了年份。由今年開始，直至十年後。

寫住今年年份的那一張，被一隻戒指套住。

阿樂指著那紙卷：「把那張拿出來吧。」

我取出紙卷：「現在就可以打開來看看嗎？」

「嗯。」

紙卷，是一封情書。

內容大致都是綿綿情話，訴說跟我一起很開心云云。

「這裡有十封信，每年生日你都可以拆一封來看。」

「為何不是七封，不是九封，是十封？」

「因為這是我為自己定下的一個目標。當你看完這十封信後，我就會向妳求婚！」

「吓？」

「這隻戒指雖然只是個便宜貨，但我卻是認真的！妳一定要好好保管，十年之後，妳可憑此跟我換取一隻真正的——鑽石指環。」

「真的嗎？」

「真的。」阿樂的眼神，是如此地堅定。他隨後又取出個小貓掛飾：「還有這個，送給妳。」

我不知道十年後大家會變成了怎樣，但在這一刻，我很感動。

就在我感動之際，阿樂以迅雷不及掩耳的速度趨向我偷襲。

他把唇輕輕地印在我的唇上。

我顫了一顫。想起的是洋蔥那句話：妳的真命天子是奪去妳初吻的人。

我本能地想要推開阿樂，可是他抱得我更緊，吻得我更深。

他的舌頭都要伸進我的嘴裡去了，再抵擋，也沒有用。

於是我放棄了。

緣份之神，這就是祢的安排嗎？

1.9

會考放榜，我考到二優五良。順利原校升讀中六。

將來回想，在一塌糊塗的2005年裡，這已是唯一的安慰。

上半年，香港的大事包括董伯伯終於眾望所歸腳痛下台；而我則在上學、自修、替小學生補習、抽空拍拖的日子裡過得日月無光。

考試過後，我找到暑期工，又拚命當家教，因為老爸已經失業，老媽終日輸錢。

跟阿樂去遊玩的機會少之又少，可是我總在想：沒關係吧，我們有的是一輩子的時間嘛！

那是我一廂情願的以為。

當秋風開始吹起的時候，我和阿樂之間，起了一點變化。

一天，我應邀到了他的新家。他媽好像快要再婚了，於是他家從勵德邨搬到賽西湖的私人大廈。

坐在他的房間裡，他像在獻寶的，在向我展示些最新的遊戲機、手機、模型等，興奮得很。他的未來繼父經濟條件蠻不錯似的，我著實替他高興。

阿樂長得帥，現在穿戴一身名牌，舉手投足就更神氣。他這種一副自信的模樣，一剎那間，讓我想起林志旭。

我已經很久沒想起他了，但這時，我不自覺地想起了他。

不知何故，我禁不住要問他：「我很平凡吧。阿樂，你喜歡我甚麼東西？」

「可愛，漂亮，聰明……」他口甜舌滑的。

「還有呢？」

「心地好，孝順，可愛……」他想吻我。

我輕輕推開他：『可愛』重複了。」

「那麼，還有記性好和調皮機智囉。」

我滿意了，主動地吻了阿樂的臉頰一下。

阿樂順勢抱住了我，輕輕把我按在床上。把身子壓了上來。

他吻了我的臉，也吻了我的眼瞼，又撩起我的頭髮吻我的耳朵。

我有點情迷意亂的。

直至，當他把手伸進我的衣服內時，我才回過神來。

我用力把他的手拉開，也把他的人推開。

「不要，」我看到他有點失望。「我還沒準備好。」

阿樂拿起我的手指吻了吻，好像有點不悅。

「不要急嘛，我們都只有十七歲，是不是成年了好一點？」

「可是快沒時間了。」阿樂說漏了嘴。

「甚麼？」

「沒甚麼。」

「一定有甚麼事的，告訴我嘛。」

阿樂一直都是那種守不住話的人，以前有甚麼事，就算我不追問，他都會自自然然說出來。

這一次他卻一直沉默。

「阿樂，我知道一定有事，你當我是女朋友嗎？說出來吧。」

「原本……我不打算這麼早就告訴妳……我快要移民到台灣了。」

「移民？台灣？為甚麼，之前都沒聽你說過的？」

「我媽快要結婚的對象，亦即是我的未來繼父，其實是台灣人。我的親生爸爸在我很小的時候就走了，前幾年，我媽因為工作的關係，認識到我的繼父。他很富有，提出想要照顧我媽，可是因為種種原因，而我媽也不是個貪錢的人，所以一直沒有答應。最近不知怎的，可能是被誠意打動吧，媽媽終於答應和他結婚。他先讓我們住進這裡。但稍後就要搬過去台灣了。」

「哦，那他喜歡你嗎？」

「嗯，他人很好，親口跟我說，會對我如親生兒子一樣看待。我看他是真心愛我媽媽，所以也就愛屋及烏了吧！」

「那就好了。只是……」

「其實，台灣跟香港的距離很近嘛，搭飛機只需一個小時就到了，比我們從這裡到天水圍還要快啊！」

我點點頭：「那你甚麼時候走了？」

「大約十一月中就要過去了。」

「那不是還只有一個多月嗎？這年你不能跟我過生日了嗎？」

「對不起啊伍月，今年妳的生日，我大多不能回來了。但以後學校一有假期，我就會回港找妳的。」

「真的嗎？你不會忘記我吧？」

「妳放心吧，只要我讀完大學，便會回香港找工作，到時我們又可以天天相見了。」

我勉強笑了笑，其實內心萬個不願。

「妳當我去了留學就好了嘛。妳要相信我，我們不是有十年的約定嗎？」

我重重的點點頭，在心裡默念：我該有信心，碟仙說過，奪去我初吻的人，就是我的真命天子。

而且，我跟阿樂是那麼的有緣。以前我們不也分別過幾年，最終還是走在一起嗎？

這一個月，我放棄了很多兼職，和阿樂四圍遊遍香港。海洋公園、山頂、中環老街、南丫島……每天都過得好開心，同時卻也很傷感。

雖然阿樂說得輕鬆，但我心底裡那不好的預感卻一直揮之不去。

對於遠距離的戀愛，我一點信心也沒有。

因為，現在的阿樂，就擁有如同當年林志旭的條件，好比「花樣男子」的級數！

一想到快要跟他分別，我就心疼得快要哭出來。

可是，很快我就知道，原來我並沒條件一直為情傷感。

爸爸的病況壞得很，他快要離開我們了……

那一晚，我跟媽媽一直待在醫院，陪住虛弱的爸爸。

爸爸氣若游絲：「囡囡，爸爸一直很疼妳，但對不起，我不能看見你畢業、工作、成家立室、甚至抱孫子了。」

望著爸爸暗沉沒生氣的瘦削得不似人形的臉，我紅了眼，答不上話。他已經被癌細胞侵蝕蔓延得只剩痛苦，但我卻甚麼也幫不上忙。

「不過，我對妳一直很放心，妳一直是最好的女兒。而且我不用擔心妳了，因為妳的男朋友答應了我，會好好照顧妳。」

「你……何時見過他啊？」

「他前幾天來過探我，他跟我聊了很多有關妳的事，我覺得妳很有眼光，這個男孩子很不錯。」

雖然爸爸知道我拍拖的事，但我從沒有帶阿樂「見過家長」，想不到他原來已繞過我，獨自來了見爸爸。

「這個男孩很傻氣，跟我談了近一小時，最後還著我不要告訴妳他來過。」爸爸像迴光反照的閃過些笑意：「似乎是個做了好事也不會宣揚的人，真好，阿月，以後妳要好好跟他一起啊。」

「知道了。」

「只可惜，我等不到妳們結婚那一天……」

為免爸爸擔心，我沒有跟他說阿樂即將移民的事。

當晚，我和媽媽靜靜的陪著爸爸，深夜裡，打了嗎啡的他陷入昏迷，沒等到第二天太陽再次升起，就呼出人生的最後一口氣。

最終也看不到他的女兒十八歲成年。

我為此哭了又哭，哭到雙眼紅腫。阿樂不斷安慰我，我以為他會留下來，陪我過爸爸的喪禮。

但他沒說要改期，我也沒有提出要求。

或者，他始終是寄人籬下，選擇權不多吧。我只能為他這樣解釋，心裡卻覺得不好受。

起碼他曾探過爸爸，令爸爸臨終前感到安慰，令他走得安樂安詳，這一點，我還是在心裡很感激他的。

這天，看著他踏入機場禁區，我覺得好像要失去他了。

但比起爸爸離開的撕心痛楚，跟阿樂分別，就變得很皮毛。

為著爸爸的喪事，我忙亂得很。同時，媽媽的情緒不穩，反倒要我扶持。

的確，十八歲了，我正式成年了，不再是小孩子了。

到安頓好一切，回過頭來的時候，我才發覺，跟阿樂每日一通的電話，已經改為隔幾天，有時甚至一星期，才有一個。

2006年，長途電話少之又少，我們改為以MSN聯繫為主，可是，他說由於繼父常帶他四處應酬，所以看到他掛在線上的狀態並不多。

新年到了，他説全家要到歐洲旅遊，沒回來。

復活節，他正忙於學駕小型賽車，也沒回來。

暑假，他説要準備考大學了，亦沒時間回來。

我們的話題，也愈來愈少。

雖然這樣的發展，合情合理，也是想像以內，但我還是覺得很失落。

我們沒有分手，但我們還是戀人嗎？我不敢肯定。

預科的日子很快就要過去了。

只顧兼職沒談戀愛的日子，平淡得很。

比較值得一提的事，是某天晚上，我當完家教之後，在電車站裡，遇到一個我從沒想過會遇到的人。

久違了差不多四年的吾校前度萬人迷——林志旭。

就在我想要逼上某班擠擁的電車之際，我看到車廂裡有個穿著貼身剪裁西服，像是明星般的型男在下層站著。

他太耀眼了，跟眼前這場景、他身邊的環境實在太過格格不入，教我一眼便把他認出來了。

他大概不會認得我，可是，我卻認得他。

他給我的感覺跟以前不同了，就只是這一瞥，我就覺得他已經成熟多了。於是這一刻，我又覺得阿樂一點也不像他了。

阿樂只是像以往的他。

這個出現在我面前的是新的、長大了的他，阿樂應該望塵莫及。當然，我更加。

我禁不住想：

他是閃閃星的貴公子嗎？

跟我，大概真的存活在不同的星球上。

——我們這一生，都不可能再有交會。

1.10

台灣。
台北市。
西門町。

高考過後，我決定把存了很久的積蓄拿出來，買了張機票。
那是我人生第一次搭乘飛機出國。
為了找我的……男朋友。

我已經差不多年半沒見過阿樂了。

對於他說趕不及來接機，約我直接在市內等待，我覺得有點悻悻然，但也只有自己先到酒店，放下行李，再出去會合。

我化了一點淡妝，也穿了我認為最好的衣服。一個人看地圖，來到他約我見面的餐館。

此刻的心情，很緊張。因此我比預約的時間，早了十五分鐘到來。卻要等到比約定的時間過了約十五分鐘，才看到一個高瘦的身影走進來，是他。

我的心，跳得很快。

可是，期待的心情，卻突然間，好像同時失去了。

我甚至很想站起來就走。

我絕非不想見他。

只是，我不想面對他。

我心底裡在想：我這樣乾巴巴地從香港跑來，究竟為了甚麼？

眼前這個人，既熟悉又陌生，我們還稱得上是戀人嗎？

就在我亂想之際，阿樂已經帶著笑容來到我的面前：「很久不見。」

很久不見？這該是一對分隔了多時的情侶，應該說的第一句話嗎？

可是我也回答：「很久不見。」其實我心裡想說的是：「我很想念你。」

阿樂替我點了餐，我們很拘束地聊起近況，好像有點生疏。

吃完飯，結賬後，阿樂捉住我的手：「來吧，我帶你去遊九份。」

我想起第一次被阿樂拖著我的手時，我的心情又緊張，又開心。

因為當時我感覺到，阿樂同樣緊張，同樣開心。

但是現在，這雙許久沒牽在一起的手，卻讓人感覺是那麼生硬突兀地扣合著。

我們沒作聲，不知道阿樂是不是想到同樣的事情。

默默地，我們登上了阿樂剛落地的新車，他像公子哥兒地開動引擎，以高速往九份出發。

沿途上，我們有一搭沒一搭地說著無聊話。誰也沒有說些親密情話。

來到九份，已近黃昏。九份是台灣的旅遊勝地，街道及店鋪都保留著一種很懷舊的風味。

它位處山上，居高臨下看著日落的景色，理應非常浪漫。

雖然我的心情怪怪的，但我還是不能否認，這裡的景色無疑美麗。

「這就是九份，我記得妳說過有套很喜歡的電影是在這裡取景的，提過若來台灣就要逛逛。」

「嗯，你倒還記得……沒錯，是梁朝偉主演的《悲情城市》。」

我跟阿樂待在九份的觀景位置，一直在看著太陽下山。

除了剛才那些門面說話，我們好像找不到甚麼話題。

我想起，從前在一起，說話的一直是阿樂，而今，那個曾經會對我總是不正經地口若懸河的他，好像消失不見了。

空氣，好像有點悶熱難受。

怎麼辦？

天入黑了，九份的店舖都亮起了燈，我本想說再走走看，可是阿樂卻說：「時候不早了，走吧。」

「哦。」

回程的路上，我有點生氣。

我一直望向窗外，沒轉頭看他。

可是他也沒有張聲。

我千里迢迢到來，面對的卻是這樣的局面嗎？我不該得到這樣的對待吧？

車未幾停下，他才說了一句：「到了。」

我失神地打開車門，想要下車，但阿樂叫住我：「伍月。」

我還有點期望的回望他：「怎麼了？」

「阿月，今晚我約了爸爸吃晚飯，明天再約你好嗎？」

想不到，我遠道而來，他連晚飯，也不跟我吃。

「好。」我輕輕吐出這個字。

他看看錶，然後說：「那明天再來找你。」

「阿樂。」

「怎麼啦？」

「你是否約了別的女孩？」我終於忍不住，開口問。

阿樂一時呆住，沒出聲。

有人說過，當你懷疑你的另一半有了第三者，除非你不想挽留，否則絕不能當面拆穿他。

可是他隨即笑了笑：「妳別亂想啦。」

「那請你望住我，才回答我吧。」

阿樂這才轉過頭來：「我不是約了別的女孩，請你別要多想。」

說謊了。

我沒有證據，也不知道怎去解釋，總之我知道他說謊了。

或許，這就是女性的直覺吧。

「妳真的不要亂想啦。我是真的趕時間而已。妳來了，我很高興啊，我們明天再見吧。」

「阿樂，明天你不用來找我了。」

說完，我下車，再重重地關上車門。

如果他仍然喜歡我，或者他還在意我，一定會追上來。

可是，他沒有。

其實今天再見阿樂，感覺已經跟以前很不同了。

那一種對我很著緊的感覺，消失得蕩然無存。

我的自尊，深深地受到傷害。

我跟阿樂沒有話別，沒說分手，我卻知道，我們正式完蛋了。

走在台灣的街頭，我有一種很寂寞、迷失、冰冷的感覺。

我覺得很荒謬，前前後後三年多的感情，好像很廉價似的，一點不值得重視。

我得接受，我的初戀，也一如大部分人的初戀一樣，逃不出沒好下場的定律。

第二天，我更改了機票，提早回到香港。

之後，我再沒有見過阿樂。

他也沒有再找我。

我也把他從 MSN 的朋友清單上刪除了。

那一晚，他是否約了別的女生，永遠是個謎。

不過，已不重要。

台灣，對我來說，是個傷感的地方。

九份，的確是個悲情城市。

投放了三年多的感情，到完全放下，我想大概也得用上三年吧。

人人都說戀愛幾乎是大學生的必修學分，說是甚麼最美好年華的相遇、最沒壓力的交往、青春應該放縱一下……反正就是整個氛圍都叫你隨大隊吧。的確，身邊大部分同學的感情生活都多姿多采，但我並沒有這份心思。

我只想一心一意完成我的大學課程。但一心一意，對我來說是很奢侈的事。因為上學以外，我的全部時間，幾乎都用來打工。

除了要支付自己的學費與生活費外，最教人惆悵的，是我媽那幾年間爛賭不改，終日出入麻雀館，以致常常欠下賭債。

我們每天也在節衣縮食，不停張羅還款與開飯錢。

與生活拚搏已經夠累了，談戀愛的事，就免提了吧。

日間，我在課業和兼職中忙得透不過氣；夜裡，我會夢見阿樂。很奇怪，我最常憶起的，並不是那一年的戀人共處時光，反而是未正式認識前，在屋邨不同地方遇上的片段。他不認得我，我卻老是撞見他的種種情境。

我們有緣，但無份？我想不通。

曾經那麼親近的兩個人，不能再聯絡，不能再交談，不能再碰面。曾把我倆連繫在一起的緣份之線那麼輕易就被切斷，當初那些牽絆又算是甚麼回事呢？

可是，當日子久了，一切也就淡了。那幾年人人都玩臉書，我卻連尋找一下他，看看他近況的念頭也能壓下。後來，我已經很少想起他，夢裡他也沒有再出現過。都說時間可以治療一切，我則會懷疑，是不是我比較薄情和善忘？眼不見，心就不會想了。離久情疏，大概人世間每段感情也是如此吧，誰又會惦念誰一輩子呢？

時光荏苒，現在，我大學畢業已快將四年。

踏出社會工作後，這幾年，我和這個城市都經歷過許多。

反高鐵撥款事件、國教事件、新界東北事件、免費電視牌照爭議事件……時而憤慨、時而無力、有時抗爭、有時退讓……前兩年，我在一間等待發牌就要開台的電視台中擔任編劇，和一班頗有理念的同事每天朝氣勃勃地一起打拼，自詡寫了一些有意思的故事，但結果大家都知道，牌照並沒如期發下來，於是我在完成了手頭上最後的工作後，也就失業了。最失落的，並不是丟失工作，而是覺得許多人的抱負和夢想，竟可以隨意就被其他人輕賤踐踏，卑微得過分。

我是在八十年代末出生的，勉強也算是統稱的九十後。都說我們這一代在最好的時代誕生和成長，小時候和幼少年時期，社會經濟富足，各業蓬勃，即使是尋常人家，物質上也總是不缺，算是有個很好的開頭；但沒想到待得我們長大成人畢業時，卻要面對困頓的時代。低薪、工作不穩定、沒父幹就沒能力置業甚至搬出來生活，貧富懸殊的差距很大，上流機會少了，政治和民生爭拗卻多，最應該煥發的時光，我們只能步步為營的，疲憊地生存著。

工作幾年，我這個窮忙月光族手頭上的節蓄還是少得可憐。政府的助學貸款快要還完，但家中的債務卻不是一時三刻可還清。幸好近月我媽終於好像有點良心發現，也被社工勸服加入戒賭團體。

好像今天，欠債又到了期限，我得替媽媽到麻雀館還錢。我好怕到那裡，因為那些放數的人都是兇神惡煞的。我明明是去還債，他們還是對我粗聲粗氣。一點也不懂得憐香惜玉。

在前往麻雀館的路程上，我在一街角上，看見一個身穿黑色西服的人，對著面前的洋人指天劃地。看他的英文還算不錯，可惜那個洋人說的是法語。

那個西服男應該有六呎高，膚色黝黑，雖然我跟他的距離尚遠，但也知道他是位帥哥。

讓我來為你解圍吧——正好我唸大學時學過基礎法語，雖然不流利，但問路的簡單應對，還是可以的吧！

我走上前，對那洋人說：

"Puis-je vous aider?"

"Merci. Est-ce l'Hôtel Peninsula à proximité?"

"Oui, il est à environ dix minutes à pied d'ici."

"Comment puis-je y arriver?"

"Il suffit de marcher sur cette route et vous le trouverez."

"Je vous remercie."

"Tu es le bienvenu. Bonne journée."

我輕易就解決了他的難題。

西服男向我道謝：「謝謝你幫忙。」

我未及望向他，手提電話就響起，我接聽：「喂。」

電話另一方傳來：「還錢啊！妳欠我大東哥的錢今日到期了。還不滾來麻雀館？」

大東哥聲如洪鐘，我那用了多年的舊式電話又漏音，一定都給身邊的西服男聽到了。

好丟臉啊！我感到自己面紅耳赤。

「行啦，現在不是正在來嗎？轉個彎就差不多到了！」我速速掛線。

西服男：「有沒有事需要幫忙？」

我按下終止通話鍵後，抬頭望向他：「沒有……」

就這麼一眼，我如遭電殛。

嚇得半死。

眼前的西服男有著一副熟悉的臉孔。

林志旭！

我想，現在我的神情，一定相當糗了吧。

你眼望我眼，我看傻了眼。

王子般的人物，在2014年5月，再度在我的生活中閃亮登場。

他的故事

2.1

我叫旭仔，是聖彼得書院的中五學生。

讀書成績雖還未到稱為爛的程度，但最好不要提就是了。老爸說，如果我能在會考中拿到10分，就已經達標了。

之所以能一直獃在這所名校，一來是因為我的運動成績超卓，多個項目的學界盃都在我帶領下手到拿來。

二來是錢作怪，每次學校進行五花八門的募捐，我老爸可闊綽手鬆得很。

我的運動細胞發達、有錢、加上一級帥，根本就是從言情小說中走出來的王子級人馬。

不過我有個說出來好像有點丟臉的喜好，就是愛看少女漫畫，最喜歡的是《流星花園》(因為我太像F4，太有共鳴了)、《戰神Mars》、《他和她的事情》等等……以及一有時間，就翻看《多啦A夢》和《忍者小靈精》卡通。

由於我出生於娛樂世家，又是家中的獨子，早晚都要接管家族生意，所以我老爸從小就給我灌輸一套他深信不疑的觀念——在演藝界打滾，最緊要是台型，亦即是Chok。要說老爸像誰，我會說是後生版謝賢，或成熟版謝霆鋒。

老爸常對我說，做娛樂事業的，是最講跟紅頂白的圈子，既周旋於上流名利場，也面對大眾市場，長期處於鎂光燈下，稍讓別人以為你不夠風光，就聚攏不了人氣，稍為沉寂，就會遭人遺忘或一沉百踩。所以門面功夫要做足，一定保持著技壓全場的氣勢。

從小到大，他要我嚴守一套儀表守則：

一，說話不能多，一開口便要語出驚人，一語中的。

二，形象要英要酷。

三，舉手投足都要有明星風範。

經過多年的專人指導，我已經成功做到上述三點。

成為了一個徹頭徹尾的造作王子！

沒錯，我每天都活在虛假的世界，天天也在演戲，而且不能NG，我才是最有資格奪取最佳男主角的人選。

好像今天，是聯校足球比賽，我狀態大勇，大演帽子戲法，連入多球「世界波」，觀眾席上不斷有女生為我拍掌歡呼。

其實我是很想望向她們，給她們送上飛吻的，不過我還記得，我是一個永不下場的演員，也絕不能破壞多年建立的形象，所以我只好忍住澎湃的熱情，繼續裝酷。

事實上也不輪到我放肆，因為老爸派來的管家一直也在教練席上看著我，只要我稍有差池，他就會報告給老爸，然後我就一定會慘被「家法伺候」的。

5比0，還有十五分鐘就完場，好了！我們聖彼得書院贏定了。

我瞄了管家文叔一眼，他示意要我離場。

遲到早退，才像一位主角。

正如明星出席一些首映禮，通常都會遲些到場、早些離場。

雖然，我真的很想跟我的同學在賽後一起喝菠蘿冰慶祝，但為了家族的聲名，唯有忍痛離場。

我離場，老師換了另一位球員入替。

乘著機會，我快速掃視觀眾席上的女生們，看看有沒有束孖辮的女生。

有是有的，不過沒一個合我心意。

忘了說，其實我對束孖辮的女生情有獨鍾，挑白點來說，我是「孖辮控」。

像小甜甜*活潑的高孖辮、纖細綺羅*的粗麻花孖辮、傲嬌明日香*的高雙馬尾……統統都很吸睛。

（*小甜甜來自漫畫《小甜甜》（五十嵐優美子著）、綺羅來自漫畫《Mars》（惣領冬實著）、明日香來自動畫《新世紀福音戰士》（庵野秀明導演））

這是我的個人喜好。

愛情漫畫我看得太多了，對談戀愛自然也有一定憧憬，其實我一直也有暗中留意我們學校的女生，但卻沒有一個看得上眼。

是我要求高還是那些女生質素低？

我想是後者居多。

走進更衣室更換衣服時，我感到一雙雙眼睛從門外對我虎視眈眈，一直窺視著我，我覺得自己好像當男妓一樣，身體受盡蹂躪。

快速地換了衣服，我悄悄地從更衣室的另一道暗門溜走，但始終也被她們發現了。

穿起便服，束起小馬尾，戴上iPod的耳塞，這時候的我，會讓人家覺得不羈、反叛。這方面，我拿捏得很準。說到底，荳蔻年華的女生大多都是外貌協會會員，她們一定會為此著迷。嘿嘿。

我知道我的粉絲們一直在背後跟著我，但我不可以回頭，於是就往前跑。

我的腿長，只要加速，一下子就拋離她們了。

就在這個時候，我看見不遠處有個束孖辮的背影。

初時我不寄予厚望，但當我在她旁擦身而過，四目交投時，我的心亂了！

心跳也快了！

我們的距離大概只有五公分。

心裡幾千頭小鹿在亂撞！

而耳際傳來的歌聲，那麼巧合地，好像成為了映襯我此刻心境的背景樂曲！

喜歡你　我最清楚這感覺
從前妳是妳　從前我是我
現在縱使不清楚　我最愛妳甚麼
尋覓你　留住妳　全憑直覺

其實我真的相信　愛情的直覺
從前尋遍這天邊海角
不經意等到　心中愛情主角
愛妳一個　像是浪漫愛歌

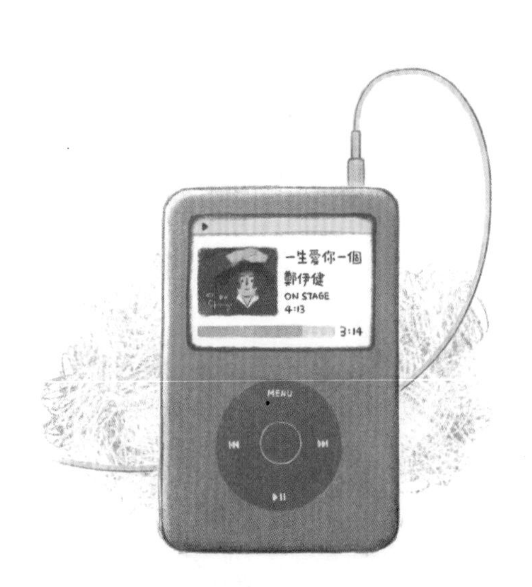

她絕對絕對是我看過最可愛美麗的束孖辮女生，無花無假，簡直是驚為天人！

慢著，很面熟，我好像在哪裡見過她？我記起來了，她跟我讀同一學校的。

不妙，我一身臭汗味，不會被她嗅到吧？

這不是跟她搭訕的好時機，加上那一大票女生快要追到了，我只好快步走上停在馬路旁的車子。

車開走以後，我確定沒人看見，便禁不住興奮得大笑：「Oh yes！哈哈哈，呵呵呵，嘩哈哈！」

坐在我身旁的文叔一臉狐疑：「贏了比賽有那麼開心嗎？」

「非也文叔，是我終於找到心目中的女神了！」

「女神？」

孖辮女神啊！「她是我見過束孖辮最好看的女生。」

「哦，竟然有女孩子能令少爺如此著迷？她是誰啊？」

「她就跟我讀同一所學校，只是她在校內一直沒束孖辮，所以我也沒有留意到她。想不到她束起孖辮，是如此好看！」

「文叔，有沒有好橋，讓她留意我？」

文叔摸了摸他的鬍子，一副胸有成竹的樣子：「我當然有橋。」

「甚麼橋？快說啦！」

「繼續裝酷！一方面你要故意接近她，製造一些偶遇，近距離向她施展你的魅力；但另一方面卻要耍酷，裝作沒留意到她，這樣，她就會覺得你似遠亦近，患得患失，這時一切事情就好辦了。」

「果然好橋。」

第二天，我按照文叔的計畫，向我的女神出擊。其實裝酷又怎會難得到我，本來我就天天在裝著。

中午時分，我在籃球場上大顯身手，表演三分球穿針入籃。不消說，就一個字——帥！

我事先已調查過，那個孖辮妹叫伍月，主班房在二樓的課室。於是我好幾次裝作不經意的望向二樓，可是我卻看不見她。全校的女生都到了，她在哪裡？該不會是昏倒了吧？

我眼尾不停掃向人群，這邊沒有，那邊也沒有，只有幾個女生擁過來遞毛巾給我，讚嘆我的技藝。可是對不起大家，此刻我最想得到的傾慕眼神不是妳們的啊！

下課鐘聲響起，到了最後一節課堂。

由於老師嘮嘮叨叨，下一班來了，我們這才慢條斯理地站起來離開。

天哪，緣份之神謝謝祢啊，我一抬頭，竟看見伍月就站在門外，原來接著我們用實驗室的，是他們這一班。

雖然她這時候並沒束孖辮，但她最美麗的一面，早已烙印在我的腦海裡了，所以現在的她，我也覺得可愛極了。

她望過來了！就在眼神接上那一瞬，我即感到全身發燙，頭皮發麻的，我唯有急急別過臉，生怕她發現我的窘態。

她跟同學們步入課室，我好不容易才能移動身軀，步出課室。

跟她們擦身而過時，我不由自主的想望她一眼，卻又有點慌慌的。

好緊張，從未試過如此的緊張！

於是，我只能把視點落在她身旁的同學身上。

直至步出班房，我才重重鬆一口氣。

喜歡一個人的感覺，原來，真的是一級棒！

《流星花園》裡的道明寺愛上杉菜，現實裡的我愛上伍月，心情大概一樣。

2.2

確認了喜歡伍月之後，我日思夜想，絞盡腦汁，終於給我想到一個跟她「開始」的好方法。

一個星期後，同樣的實驗室，我跟伍月即將又相遇了。

我查知她跟我坐在同一座位（我肯定，那是緣份作祟），於是我便利用地利之優勢，在下課的時候裝作睡著了，故意不離開課室，到時她一定會把我叫醒，之後我向她道謝，便能正式跟她認識了。嘿嘿嘿，好橋！難道我是天生的戀愛奇才嗎？

為了令這場戲更逼真和順利，我刻意在早幾天也裝睡，當老師叫醒我時，我一拳把他的大牙打掉，務求今天我裝睡時，老師同學都不敢把我叫醒，那我便能獨留在課室，直到伍月那班到來。

雖然這個鋪排換來了一個大過，但為了成全我的初戀的完美序章，絕對是值得的。

課到中途，我已伏在桌上裝睡。

下課鐘聲響了，果然，全班也沒一個同學敢叫醒我，我的設想行得通。

然後，我感覺到轉班的人來了，他們一個個坐到自己的座位上。

我的鼻子傳來陣陣少女幽香——現在，一個香噴噴的女孩子，就站在我的身前，她一定就是伍月。

好緊張，她要走進我的生命了！

這是關鍵的一刻——

叩叩！

她敲響桌子。

好驚！心跳得好快，我怕面對她，還是……

叩叩。

她再敲一下，真是勇敢的女生，我喜歡死了。

我緩緩抬起頭，睡眼惺忪，左盼右顧，裝作好像一時間不知道自己身在哪裡。

我用剛睡醒的磁性聲線：「這裡是……」正想望向伍月，坐在我鄰座的人忽然搭訕。

「你睡過了頭，你的同學都走了啦。」

我知道她叫劉安芝，是伍月的死黨。

「是嗎，多謝妳把我叫醒。」我笑了笑，其實我知道叫醒我的人是伍月，不過我刻意多謝劉安芝，就是要看看她有何反應。

怎料，她一點反應也沒有。

那個劉安芝把手伸過來：「不要緊。我叫劉安芝。」

「我叫林志旭，妳可以叫我旭仔。」

「你那麼出名，我早已知道你的名字啦！」我當然知道，你笑得好甜，甜到膩，一看而知就是我的粉絲。

幸好平日訓練有素，這時我也能臉不紅氣不喘腳不抖地站起。

伍月讓路給我離去。

在這麼近的距離，我竟然不敢正眼望她，僅能在她身旁擦身而過。我嗅到她的頭髮帶有髮精芳香，心神為之一蕩，只可惜，我的計畫失敗了。

幸好，我還有後著。

我把我的勞力士手錶放在桌子內，如果伍月是個心地好的女生，一定會把手錶還我，然後我就能連消帶打，以答謝為名，有藉口約她吃飯了。

好一條縝密、一關不成還有下一關的絕世好橋！連我自己都不禁要稱讚一下自己。

放學後，我刻意留在大堂徘徊，故意讓伍月容易找到我。

等了數分鐘，我看到伍月和劉安芝。

我們相隔不遠，大約只有數十個身位左右，一看到我，伍月就停下腳步，留在原地，反而那個劉安芝卻又跳又蹦雀躍地向我奔過來。

手上還拿著我的手錶。

那個花癡女：「你剛剛把手錶遺留在班房裡，我給你拿回啦。」

我接過手錶，心裡出現了好多疑問，為何這手錶會由劉安芝交給我而不是伍月？

難道，伍月討厭我？

伍月害怕我？

伍月不想接觸我？

想到這，我的心涼了一截，匆匆說了句道謝，然後把手錶放入褲袋。

我的眼尾一直飄向伍月那邊，耳朵卻聽到花癡女在啜啜不休：「我給你找回手錶，就只有一句道謝？」

「那妳想怎樣？我給妳錢作報酬好不好？」

「你別誤會，我不是想向你索取甚麼，我只想跟你吃頓飯。」

「嗯，我們再約時間。」我的心七上八落的，根本沒把她的說話聽進耳裡。

我想走向伍月那邊，一雙腿卻帶我離開學校。

回到家，我的心情一直很忐忑。

回想起來，這幾次跟伍月碰面，她的神態也好像跟別的女生不同。是了，就是有一種說不上來的冷漠感，好像一點也不想跟我接觸或說話，一副避之則吉的模樣。

難道我以前對她做過了甚麼，令她如此對我？

可是我記不得有這麼回事。

為甚麼為甚麼為甚麼？

我想到頭快炸了，也想不出原因，於是就走進我家的私人泳池，企圖以運動令思路清晰點。

可是，我游十個直池，還是想不出原因。

於是，我只好上水。一人早站在池邊，把毛巾遞上。

這一個四十出頭，一臉輕佻又chok到世界盡頭的人，正是「旭日娛樂集團」的CEO，即是我老爸。

「老爸！」

老爸笑了笑：「你的身型愈來愈結實，很有我當年的風範！」

即使今時今日，你還是比我精壯啦！

我跟老爸坐在泳池旁的椅子上，開始攀談起來。

「怎麼啦，想追女仔嗎？」

「你怎知道的？文叔真是個長舌公。」

「這次倒不是他告訴我的。」他輕描淡寫：「你一有心事就會游泳，今天看你游了十多個直池，證明你的難題很大。會令男人心煩的難題只有兩個：錢銀、女人！」

他頓了頓，成竹在胸：「錢，我的身家足夠你用幾世。那除了女人外，你還能有甚麼煩惱？」

「老爸，不要太膚淺，除了錢銀和女人，人生中還有很多東西能叫人煩惱的。」

「哦，是嗎？說來聽聽。」不過今次你猜中。

「哈哈！那個女生很漂亮的嗎？竟可弄得我兒子神魂顛倒。」

「嗯，她的漂亮雖然不像老媽那種光芒四射閃閃亮，但束起孖辮來，可愛到殺死人！最特別的，是她不像其他女子一樣對我如癡如醉，雖然長得親切，人卻有點難以捉摸……」

「嘿，男人都是犯賤的，愈難得到，愈想得到。旭仔，金錢方面，老爸會無限量支持你，至於手段，就要靠你自己了。」

「安啦！別說我的了，公司的擴展計畫事進行得順利嗎？」

「非常順利！幸得『龍城幫』的陳先生教路，我們的生意已漸漸企業化。除了電影院線和發行，下一步就要發展電影投資，再下一步，就要有自己的演員和歌手。」

老爸有個心願，就是帶領家族生意更上層樓。多年以來他為了這願望不斷付出、嘗試，可惜常碰釘子。

直到一年前，他認識了「龍城幫」的龍頭老大陳先生，突破的契機出現。聽說陳先生是個重義氣，又有頭腦的人。他運用智慧和眼光，把「龍城幫」的資金流入電影業，成功賺下第一桶「白」金之後，逐步替幫會的地下生意納入正軌。他與老爸，因此一拍即合，有意在娛樂界大展身手。多得他之故，我們終於成功跨出一大步。

「老爸，你專心打理好你的生意，不用擔心我泡妞的小事。」

「我才不會擔心你，我兒子又帥又有錢，還用擔心你泡不到妞？老爸給你膽量，放心去馬！」

老爸向我遞上酒杯，我裝作豪氣（老爸最受這一套）一碰——噹！

酒杯相碰，我真的很慶幸，有這一個如朋友般的老爸。

2.3

最近每一天，我都要游好幾十個直池，才能稍稍穩定心神，才能以倦極來迫自己入睡。

我真的很喜歡伍月。

閉起眼睛，我就會想起她。

在踢波時也會走神想起她。

上堂悶極無聊時就更不用說了。

聖彼得書院的校舍比一般中學大，加上不同班級的主班房在不同樓層，所以，要碰上伍月，不是那麼容易的事。

我也不敢那麼明目張膽去找她，一來怕會嚇怕她，二來，有關我的消息常常很快就會傳遍整個校園，本人習慣了在鎂光燈下生活的感覺，卻不知伍月能不能面對壓力。我怕給她帶來困擾——老爸從小就教我，身為男子漢，一定要好好保護女人！

但大概我發出的戀愛訊號實在太強烈了，警覺性也實在高明，故此當伍月踏入我的視線範圍，我全身的偵測天線就會告訴我：她來了！

遠遠地看到她的話，我的兩腮就會開始赤熨；

如果她進入50米範圍，我的心跳就會急升到150bpm以上；

30米，我就開始幻想她走過來跟我說話——雖然每次都落空。

偶爾看到她跟朋友不知在說甚麼俏皮話，笑得眼都彎起來，我就會跟著傻笑——據我管家說，那是一副懷春少男的表情。我總要定一定神，拍打自己的臉，斥喝自己一聲，猛然收回笑容，不然，我那裝了十多年的形象，恐怕就要破功了。

又偶爾，若我看到她跟男同學在說話，我的心就酸酸的，好像心絞痛一樣。

最近每一天，我都在這種暗自的糾結中經歷情緒過山車。

其實到目前為止，我跟伍月，連一句話也沒說過，更談不上了解她。為何我會如此的在意她？

我想，喜歡一個人，是沒有解釋的吧。

我好想跟她說話呀！

但我總找不著機會。

太想念她了，回到家中，我總是不停畫她。是，忘了說，我還有一個優點，就是會畫畫。

我的畫功如何？我自己不便多說，不過曾經奪得過全港人像素描比賽冠軍就是了。

我把我所記下的容貌用鉛筆繪畫下來。

差不多每一天，我都在速寫，現在已畫了十多幅。

反反覆覆地描畫，她的模樣，已經深深印在我的腦海了。

又過了一個星期，我像是個盯梢的，經常在暗中窺視留意著伍月。

我發現，伍月有些很可愛的小動作，例如，思考問題時眼珠會打轉，又喜歡常常蹙眉。時而開懷大笑，時而呶嘴懊惱，一顰一笑，是那麼鮮活的女生。

另外，我發現她特別喜歡星星圖案的東西，譬如她會用星星形狀的髮夾，筆袋也是印有星星圖案的。我還記得，第一次看見她束孖辮的時候，她用的橡皮圈也是有星星飾物的。

留意得入迷，有時回過神來，才發現那個劉安芝又來找我聊天了。

之所以應酬她，是因為我很想找機會從她身上套到有關伍月的資料，不過一直沒這機會，因為跟她一起的時間，就只有她說話。

劉安芝買了戲票約我看一套叫《無間道》的電影，我看反正這個周末沒事做，就應約了。

其實是希望可以打聽更多伍月的事，說到底，學校耳目眾多，說話並不方便。

星期六的中午，我應邀而來。她挑的戲院，剛好是老爸公司旗下的院線。

劉安芝一看見我即如蜜蜂看到蜜糖般，露出四萬笑容：「旭仔！」她應該有刻意打扮過吧？不過，她美麗與否與我無關。

「想不到妳比我還要早。要妳等待，真不好意思。」

「不要緊，我們去買些零食吧！」劉安芝說著，順勢以手臂挽著我手，然後將身子壓向我的臂膀。

我感到手臂傳來一陣柔軟感，也感到她的呼氣呵在我的臉上，我有點難為情，所以甩開了她。

想不到，劉安芝如此主動熱情。

平心而論，論樣貌，在一般世俗人眼中，她一定比伍月美麗。

但只有我才看到的伍月式美麗，才是我那杯茶。

美貌可以堆砌，卻不是喜歡一個人的重點，有沒有感覺才是。

跟劉安芝買過汽水、冰淇淋及爆谷後，我們就入場了。

《無間道》這齣電影拍得不錯，戲上半段，我還是很投入看電影的，但不久我就發覺劉安芝把身子一點點貼近過來。

直到此時，我才留意到她把我倆之間的椅柄提起，變成了情侶連椅。

她貼近一點，我就移過一點。

直到我再無空位可退，劉安芝竟索性熊抱我，把整個身體放軟緊貼著我。

我「嘩」一聲，叫了出來！我感覺到，有很多對眼向我們怒射過來。

我拉開她的手：「妳……沒事吧？」

「我突然覺得很冷，請你抱緊我吧。」

「不……要這樣吧。」

此時，我身後的觀眾喝道：「開房就去九龍塘，不要阻頭阻勢！」

我尷尬至極：「對不起。」怎料劉安芝竟說：「哼，哪用跟他說對不起，我們喜歡怎樣便怎樣！」

身後的觀眾被惹怒：「三八，你也真夠橫蠻。」

我再一次說對不起。劉安芝卻突然站起，轉身望向那人：「你說甚麼？我男朋友是這間戲院的老闆，你夠膽就再辱罵我！我可以把你踢出戲院！」原來她是有心約我來這裡，應該對我的家底調查過。

我也急急站起：「劉安芝，別亂說！」

那人也站起：「老闆又怎樣？總之你們騷擾大家看戲就是不對！」

「真的對不起。」

那人扯住我的衣領：「小子，如果你繼續騷擾我們，莫要怪我動粗！」

「先生，對不起。」

劉安芝氣得跺腳：「為何要跟他說對不起？動手吧！」

我喝罵：「妳給我住口！」

各位，對不起。把這個女人帶進戲院，是我不對，除了離場，我還可以怎樣？

走出戲院，我仍然感到相當憤怒，想不到劉安芝是個如此蠻不講理的人。如果戲院的職員看到，傳出去的話，我一定會被老爸痛罵一頓。

但我目標未達，為了伍月，我只能強行壓下怒火，跟她說：「剛才的事算了。我們找個地方吃東西吧。」

豈料劉安芝說：「哼，現在我吃甚麼也沒胃口啦。想不到你如此膽小，給人嚇唬幾句就自動離場。」

我握緊拳頭。好，忍妳！

「剛才是我們不對。」

劉安芝別過了臉，對我冷哼一聲。

「算了，當我錯。別這樣好不好？」

「要我消氣，就要看你帶我吃甚麼啦！」

這個劉安芝，真是不要臉。

我帶她到我們家最有名的海鮮酒家吃飽參翅肚。飯後還叫廚房特別做了個梳乎厘給她當甜品。看她一臉滿足的樣子，我就知她消了氣。

「不生氣了嗎？」

劉安芝嬌笑：「就原諒你一次啦！」一副皇恩浩蕩的女皇姿態。

我心想：原諒我？她的思維絕對有問題。不過既然她消了氣，我就可以入正題了。

「劉安芝，我想問妳一些事。」

她又把身挨過來，用一副期待的表情望住我：「你問吧，人家不一定應承你啊！」

說甚麼？我決定不轉彎抹角了：「妳知不知道伍月喜歡甚麼類型的男生？」

劉安芝眉頭一緊：「你幹麼問這問題？」

「因為……」

「因為甚麼？我跟你約會，關伍月甚麼事？」

「我……喜歡她。」我脫口而出，她跟伍月是朋友，該不會到處張揚吧？

劉安芝有點愕然：「你說你喜歡伍月？」

「沒錯。」

「你說認真的？」

「我幹嗎要說謊？」

劉安芝靜了一會兒：「那你死了心吧，她跟我說過，最討厭就是你這種二世祖。」

我的心如墮冰窖。

「妳說認真的嗎？」

「我幹嗎要說謊？她還跟我說，以為自己有錢就很了不起，一看見你就感到很不屑。我記得有一天你表演射籃，伍月還直嚷噁心。讓我想想她當時怎說來著？我記起了，當時有人問你『好厲害啊！為甚麼你可以球球都入籃啊？是不是經常練習的啊？』你答說：『凡人才要練習嘛。我甚麼都不用做，舉起手就可以投進籃了。』她簡直笑到肚痛，不停說你好造作！」

劉安芝說得那麼流暢，不似是即場作故事。難怪伍月總是避開我的目光。

劉安芝抹抹嘴角，然後很優雅地站起來：「這一餐多謝了。伍月是我的好朋友，請你不要企圖親近她！」

我六神無主，任由劉安芝離開。

怎麼辦？我該怎麼辦？

兩天後的星期一，我帶著沉重的心情上學。

伍月就跟我同時身處在一幢大樓內的這個認知，更令我停不了想她，腦海不斷自動播放那天劉安芝跟我說的話：「伍月她一看見你就感到很不安！伍月覺得你很噁心！她討厭你！伍月她全世界最討厭的人就是你！」（劉安芝才沒有說得那樣嚴重）

這些念頭揮之不去，我快要發瘋了！我要得到答案！

就算伍月真的討厭我，我也要她親口對我說得清清楚楚。

我站起來，決定往她的班房找她；

哎，不好——我坐下來，還是多等一會吧；

噓，還是去吧——我用急促的步伐走下樓梯；

唷，等一下——到了二樓，我放慢腳步又往回頭走；

來來回回好幾次，我終於遠遠見到她了，我看到那個劉安芝不知在跟她說甚麼——她的眉頭怎麼緊皺了？

唉，還是算了吧——還是今晚先作好準備，多練習練習，明天才問個清楚明白。

放學後，我獨自在學校附近的街頭漫步，突然有人從身後拍了拍我的臂膀。回身一望，是個跟我穿上同一校服，但我不認識的男生。

「你是誰？」

「你這人渣！」他二話不說就一拳揍打在我的臉上。

這一拳力度不大，我並不感到有怎麼痛楚，所以不太憤怒，只有一點愕然。

「你幹甚麼？」

他繼續向我揮拳，有了警覺的我當然能輕易避過。我可是受過嚴格搏擊訓練的！

「你自己幹過甚麼，自己最清楚！」

我邊避開他的拳邊問道：「我幹過甚麼啊？喂，你是否『點錯相』？」

他仍在胡亂揮拳：「我沒認錯，你就是林志旭嘛！」

「喂！既然你沒認錯人，那就請你說清楚，我跟你有何過節？」

「星期六那天，你對劉安芝幹過甚麼？」

「劉安芝？」

這男的突然左右兩腳交叉，重心一失，撞落在地上。

我連忙將他扶起：「你沒大礙吧？」

他整個鼻子也給撞至瘀青，鼻孔還流出血水。我取出一張紙巾，按住他的鼻孔。

他推開了我的手：「不用你裝好心！」

我沒好氣：「你要打我，是否也應該給我知道原因？」

他以憤怒的眼神怒視我，但總算也平靜過來。

於是，我們來到公園坐下。他把要打我的原委和盤托出。

「劉安芝真的這樣說我？」

我終於知道他叫洋蔥，是劉安芝和伍月的同班同學。

用三兩句說話總結，是今天劉安芝回到學校即滿臉怒氣，向他和伍月說我在戲院裡對她毛手毛腳，又說我是個暴力狂，無緣無故在街頭動手打人。

聽完故事，我只有苦笑。良久，我沒有出聲。

「你無話可說了吧？」洋蔥還是滿腔怒火。

「如果你相信劉安芝所說的都是真話，我的確無話可說。」

「你的意思是……劉安芝說謊？」

「雖然我不想說女生壞話，但你問我，我唯有答：是。」

「我為何要信你？」

「信不信由你，我沒證據證明我是清白，但如果我是個色鬼，我會騙她到我家中才動手。我家地方多的是，私人影院也有，不用在公眾場所如此低級。還有，如果我是個暴力狂，我想你現在已身在醫院了。」

洋蔥半信半疑：「你沒做過，劉安芝怎會中傷你？」

「我怎知道？這問題你該去問劉安芝。」

「沒理由的，劉安芝那麼喜歡你，又怎會詆毀你呢？一定是你做了些甚麼壞事！」

「你說甚麼？」

「我說一定是你做了些甚麼壞事！」

「不是這句！你說劉安芝那麼喜歡我是甚麼意思？」

「那就是字面的意思！」

「劉安芝那麼喜歡我？」

「難道你不知道嗎？你不覺得她對你很……有意思嗎？」

「我以為她像其他女生一樣，崇拜我而已。」

洋蔥翻眼：「那些女生不止崇拜你好不好？她們個個都對你虎視眈眈，位位也幻想自己是『林太』，恨不得把你吃下肚去啊！」

「那也不是喜歡吧？她們又不是真的認識我！」我愈說愈覺得說服不了自己，我自己，也不認識伍月啊！

「你是白癡嗎？不要裝作不知情了！」

洋蔥說得沒錯，在愛情的路上，我的確是個白癡。

對別人的心情一無所知，對自己想要的，也不明所以。

可是，我終於知道劉安芝那天翻臉的原因了（我本來就沒有在意，也沒有放在心上）。

我恍然大悟：「我終於知道她為何要中傷我了。」

「為甚麼？」

「因為我告訴了她，我……喜歡上伍月。」

「伍月？我們班那個伍月？你喜歡伍月？」洋蔥大驚小怪的。

我重重地，認真地點點頭。

「想不到你這樣的有錢大帥哥，會喜歡伍月。伍月家很窮呀，而且，劉安芝不是比較漂亮嗎？不，是根本無得比。」

「喜歡就喜歡，真心喜歡一個人，又怎會計較大家的家境？樣貌也不是重點啊！而且，我覺得伍月她……很漂亮。」

洋蔥望住我，我很誠懇地回望他。

「我一直以為你是個恃才傲物的人，一定很跩，而且高不可攀……想不到，你還滿誠懇的，而且……品味和眼光，相當獨特另類……」

我擺擺手，笑了笑，忽然靈機一觸：「你跟伍月同一班，應該也知道伍月的喜好吧。可否說給我聽聽？」

「就算知道又怎樣……你還是別要問吧。」

「為甚麼？」

「因為我在上星期六在籃球場上遇見伍月，她跟我談起你……」

「是嗎？她說甚麼了？」

「你還是不要知道好了！」

「拜託你快說啦，不要吊我的胃口。」

「我勸你還是死心吧，她跟我說……你是她最討厭的類型，就算今生沒有別的男生也不會選擇你。」

我如遭電殛。劉安芝雖然中傷我，但至少她那天並沒有說謊。

「她真的有這樣說過？」

「我可以對天發誓。」

我覺得，天一下子黑了。

我愣住了。已經不懂得，下一步，該怎麼走。

洋蔥一臉抱歉，拍了拍我的肩膀，然後站起離去。

我沮喪地叫住他：「洋蔥，可否答應我一件事？」

「你說吧。」

「不要讓伍月知道我們見過面，也不要讓她知道我喜歡她的事。」

他點點頭。

我已經不記得，對上一次有想哭的感覺，是甚麼時候了——直至現在。

一夜無眠，我的壞心情，延續到另一天。

天亮了，太陽如常升起，地球好好運轉，而我看出去的世界，卻是如此黯淡。

小息的時候，我在樓梯往下看時望見伍月，心立時漏了一拍。

我心有不甘，決定跑下去，想要問個明白或解釋一下。但到追到她身旁時，我卻覺得啞口無言，不知怎樣開口才好。

她還是那個冷酷的樣子，只是，這一次，她還狠狠地白了我一眼。

好兇啊。

我的喉頭一緊，想說點甚麼，卻始終說不出口。

我想，她一定也跟洋蔥一樣，誤會了我真的對劉安芝毛手毛腳吧。

突然我覺得有點洩氣……沒所謂了，反正她討厭我，噁心我，再加一條罪名也算不上甚麼。

就在我思潮起伏的時候，她已經飄然遠去。嗚……

2.4

聖誕假期前夕，就像行屍一樣的我，被數學科老師葉 Sir 叫到教員室。去到時，才發覺 Miss Wong 也在。

「林志旭，幹嘛沒精打采？」Miss Wong 笑意盈盈地說。唉，難道要我向妳們哭訴，我失戀唄？

算吧，讓我自生自滅吧！

葉 Sir 見我沒反應，開口說：「你也知道你的成績危危乎的啦，尤其是數學科，不及格的話，便不能升上預科！」嘿，你們太看重我了，以我的讀書天分，能夠順利中學畢業，我老爸應該已經心滿意足。你們……竟然想我升讀預科？有大志，我佩服你們！

葉 Sir：「這幾個月我一直有替你特訓，總算是有進步。不過反而有些基礎數理總是會弄錯，我看你是底子打得不好。但這個聖誕我外遊不在港，所以我想找個同學替你惡補一下。」

「啊，你的好意我心領啦……」

葉 Sir 打斷我的話：「因為是追回一些基礎算式，所以我想到找中三級裡成績最好的數學科科長替你補習……」

我沒聽入耳：「不用啦……」

Miss Wong：「那就是我們班的伍月啊！她的數學程度大概已經和中四生差不多啦！」

甚麼？

甚麼？

甚麼？

伍月？

「伍月？」

「對啊，就是我們班的伍月。」

「伍月？……她答應了？」

「對啊，她已經應承了。有甚麼好奇怪的？她是模範生，老師叫她做的，她理當會應承啊！」Miss Wong 說。

伍月那麼討厭我，居然會答應這份差事？只是因為出於老師的託付嗎？

我的腦海裡一片空白，本來，我已經打算死心，想不到，我的初戀似乎還沒有被宣判死刑啊！

葉 Sir 說：「但如果你覺得難為情，不想要師妹指導你，我們可以再想想其他人選的。」

這次到我立即打斷他：「不用啦，我覺得你們的提議很好，我的基礎數學真的需要伍同學指教指教。」

於是 Miss Wong 一錘定音：「那聖誕假期開始，你們每天回校補習兩小時，好不好？」

「好。我覺得 Miss Wong 妳的提議非常好，十分好，好到極。Very good……」我打從心底裡笑出來：林志旭，我真係恭喜你呀！

人生真的好有趣，前一天明明已經死了心，此刻我卻充滿了希望。

這是難得跟伍月獨處的好機會，是天賜給我的良機。

眼前的葉 Sir 和 Miss Wong，在我眼中，簡直就是下凡月老，或人形化的丘比特。

我心裡想著，只要跟她熟絡了，到時就可以跟她好好解釋，我根本不是甚麼色情狂，也不是暴力分子，更加不是她以為的那種嘔心造作的二世祖（但我真的不是嗎）……

期待已久的時刻終於也來臨，昨晚我興奮得根本無法入睡，就好像小學時學校旅行前的心情。

今日的樣子會不會太殘了呢？

我立即做了一個神級急救面膜，皮膚立時容光煥發，望著鏡中的自己，不禁自誇一個字：帥！

穿上昨夜我和文叔配襯了個多小時，多番商量過後得到共識的服飾，作出最後檢查：鼻毛沒凸出、髮型gel好沒塌、嘴唇有些皴裂脫皮的地方重新塗上潤唇膏，完美！

帶點緊張的心情，中五聖誕假期首天，我回到校園。

我以雙掌拍了拍臉頰，呼了口氣，心中默念：去吧！便向自修室進發。

我想像，今天的伍月會穿甚麼衣服呢？會為我而悉心打扮嗎？會像第一次見到她一樣，束上孖辮嗎？

愈接近那自修室，我的心跳便愈厲害。

一會見到伍月，第一句應該跟她說甚麼好呢？

「今日天氣不錯啊！」白癡！

「妳吃了早餐沒有？」沒吃過難道要跟你吃嗎！

「Hi，妳好嗎？」一點格調也沒有。

還是先不要說太多話，來一招按兵不動，以靜制動。

終於像做賊般躡手躡腳來到自修室門口，我遠遠便看到偌大的房間只有伍月一人坐在角落。

這天的她，還是穿著校服，靜靜地、專注地垂著頭，似乎在做著練習。

望著素雅平靜的她，我還是不期然吞了一吞口水。

雖然她只是穿了校服，包得密密實實，我卻覺得眼前的這個女孩，比那些前凸後翹衣著性感的女郎還要令人臉紅心跳，口乾舌燥。

我忽然覺得有些無可奈何，為甚麼呢？為甚麼她能夠在不知不覺間把自己牢牢拴著，把我的世界燒得烈火燎原，她卻茫然不知，波瀾不驚地，竟然依舊平平靜靜地在做著練習題？

但我還是有點自虐的快感。真正喜歡一個人，除了甜蜜，原來還會有絲絲痛楚。

我來到她跟前，開口說：「你，就是伍月吧？」

她聞聲抬頭，日光照在她的臉上，像是嬰兒般粉嫩，兩頰紅撲撲的，加上微微清風同時吹起了她的頭髮，我覺得我……好像有了生理反應……

她正正經經的回話：「我是伍月，林同學你好。」聲音並不如我想像的嬌柔，反而有點低沉，但相當順耳。

我強逼自己收斂心神，裝作平靜的回應：「嗯。」然後坐到她身邊。

想不到這個小女孩能發放如此巨大氣場，叫我難以呼吸。

トト！トト！トト！自修室好靜，我擔心她會聽到我的心跳。

「我們開始吧。」

我們開始吧——如果，我跟她表白時，她以這一句作回應，那就太好了。

補習途中，為了令自己不像個色鬼，我控制自己不要常常看她。

太緊張了，中途我還去了兩次洗手間。

我以為可以找到機會閒聊，卻被她一條又一條的練習題攻陷，根本不容我有半分喘息。

她真是個好女孩，即使討厭我，還是盡責地細心講解，甚至，還特地準備了一本精讀筆記，寫滿重點，令我太感動了。

或許是她講解得太好，今日的題目超容易的，我如有神助，全部都沒做錯，並沒失禮。

快樂的時光過得特別快，又是時候講拜拜。我根本找不到任何時機向她解釋她對我的誤會，伍月就說：「那麼，做完這一道題，今天也差不多了。」

能不能加時啊？我沒說出口，只默默把題目做完。

她滿高興的說：「按照這進度，或許不用整個假期回來補習都可以呢。」甚麼？我才不要啊！我要每天都補習啊小老師！

「你還有沒有甚麼不明白？」伍月望向我。

「嗯……沒有。」剛才繃緊的情緒一鬆懈，我突然覺得肚子有點痛，似乎要立即去廁所才行。

「那麼，明天見。」對，還有明天，不用急進。

「好的。今天麻煩你了。」我禮貌地道謝和道別，便離開自修室。一出到走廊轉角，我就忍不住一口氣奔向廁所去。

回到家後，我便跟文叔「賽後檢討」。

「這個女生雖然對你有所誤解，但似乎不算非常討厭你，否則她是不會跟你補習的。」

「我也有同感，不然她沒理由還做好了重點筆記，那麼上心。」

「不過你也不用太高興，不討厭不等如喜歡。如果她喜歡你，沒理由放假也穿校服回學校，而不是趁此機會打扮一番。」

「你說得也是……我的心卜卜跳到快要心臟病發，但她在自修室等我來時根本丁點也不緊張，還自顧自在做練習。」

「連你來到也沒有發覺？」

「沒有啊……然後整個過程我們除了練習題以外，甚麼也沒說過。她真的一點也不像學校其他女生，不是想盡辦法對我苦纏不休，或是一副糖尿上腦，快要暈倒的樣子。伍月她可謂異常鎮定。」

「看來這個女孩子是個含蓄慢熱的人，更可能是座冰山。不過你現在有的是時間，不用心急，即使是北極冰山，你也可以慢慢將它劈開，一步一步打開她的心扉。你先不要性急，以免打草驚蛇，嚇怕這隻純情小白兔。」

「行啦，文叔，我又不是急色鬼！假期還有十多天，我有的是時間，只要我明天開始，故意做錯題目，讓我的補習進度維持零進度，我就還有很多時間可以和她相處！」

嘿嘿嘿，到時還不怕她墮入本少爺的情網嗎？

在我仰天狂笑的時候，老爸突然經過，喝斥了我一聲：「林志旭，你那鬆懈的傻子表情是甚麼回事？」

我搔搔頭：「沒有啦！我的演技爐火純青，在外頭時時刻刻都戴著面具的啦，不用擔心。」

「不行不行，你要打從心底裡忘記演技和面具這兩個詞彙才成！要真心相信，你就是天才！你就是明星！你就是世界中心！你看我，就是最好的人辦！」

真的拿我老爸沒轍，於是我只好敷衍地虛應他幾句，打發他離開。

要是我再這樣以假面目造作下去，伍月一定不會喜歡，我才不要！

2.5

第二天，我比伍月提早來到自修室，因為我想調節好心情，然後靜靜看著伍月向我走來的樣子。

這天她匆匆忙忙的趕來，連頭髮也好像沒完全吹乾，有點蓬鬆，但有點懶洋洋的可愛。風吹過來，我嗅到她的髮香，唔，好好聞啊。

這天的相處一樣順利，雖然我故意做錯了好多條題目，但她還是耐著性子講解了一次又一次。

後來我知道她應該是睡過頭了吧，因為她大概沒吃早餐，所以肚子一直在咕嚕作響。我不禁露出笑意。她很尷尬似的，面都漲得通紅，不斷拿起枱上的果汁軟糖來吃。怎麼辦，眼前這個生物真是超級超級可愛，好想餵飼她啊！

我不想伍月餓壞肚子，所以第三天，我請家中的工人和廚子一早張羅了好幾款食物給她。因為不知道她喜歡吃甚麼，又不想顯得太隆重，所以食物款式還是花了少少心思。

女孩子都愛吃日本菜，早上又不宜吃太多米飯，所以第一道有壽司小卷；怕她不夠飽，就有三文治作為碳水化合物的代表，配上含 OMEGA 3 脂肪酸的魚子醬，為她嬌嫩的肌膚提供豐富的骨膠原；飯後果少不了，切成粒粒吃得方便；最後還有我平日很愛吃的零食切片鮑魚。

她看到我的準備，呆了一會，好像不懂反應似的；幸好她的肚子夠誠實，適當時候又咕了一聲，於是我故作輕鬆和幽默的說：「沒下毒的，一起吃吧！」她好像非常受落，向我連聲道謝後，就真的拿起了小卷，吃得津津有味。

好開心好開心，她接受了我對她的愛意！她一定會逐步墮入我張開的情網！

哇，今天她也好可愛啊，吃著壽司卷，她的嘴角沾了飯粒呢！我好想伸手去替她撿走，然後把飯粒放進自己嘴裡。但我慌忙用左手按下蠢蠢欲動的右手，因為如果我情不自禁真的把手伸出去，就會成為她一直以為的色情狂！

哎吔，她察覺了，用舌頭舔了舔，把飯粒舔回嘴裡……哥哥不行了，要去廁所洗個臉冷靜一下才行。

我想，戀愛這種東西，或許和變態的性質非常類近。

我懷疑自修室是個蟲洞，不然怎麼在這裡過了兩小時卻好像短暫得像外頭的十五分鐘？隔天是周末周日，接著的星期一是平安夜，但我依然很想回到這裡和伍月度過啊。

我膽粗粗地問她：「我覺得今天進度很好，好像開竅般特別靈光。我不想錯失這種感覺，想星期一繼續補習，妳會有空嗎？」答應啊，答應啊，我好想跟妳一起過聖誕。

她沉吟半晌，然後抬起頭說：「可以啊。」Yes！Yes！Yes！我想站起來跳舞歡呼，但我死命忍住。只有咬緊牙關，別過臉，裝出風清雲淡的樣子，努力不讓自己笑出聲。

「文叔、文叔，食物攻勢很有效！冰山已經露出缺口了！」回到家後，我立即向文叔匯報「軍情」。

「她很受落？」

「她吃了很多，又跟我說了很多次多謝！之後一整天的氣氛也很好，她應該已經覺得我不是壞人。」

「那你也要當心別讓她只當你是好人呀！女生如果把你歸類為好人，就會派張『好人卡』給你，不會把你當作可以列入戀愛對象的異性啊！」

「戀愛真是好多學問好難拿捏啊……不過目前進展相當良好，接下來我們要計畫一下準備些甚麼聖誕禮物和聖誕驚喜……」

平安夜這天的驚喜很大。

當我滿心歡喜回到我的「幸福自修室」時，幸福卻早已經飄走。

枱面上，有伍月留給我的字條和筆記。

她說，不能再替我補習了。

冬日的寒風吹來，刮痛了我的臉，也令我的心涼了半截。

整個聖誕假期和大除夕，我都望著那份準備好要送她的聖誕禮物，感到心裡隱隱刺痛。我只想假期快點放完，能夠回到學校，親口問她發生了甚麼事。

2.6

好不容易等到聖誕假期結束，想不到事情會這樣發展。

男同學看到我，都吹口哨；女同學卻一片愁雲慘霧，露出如喪考妣的悽愴樣子。

怎麼啦？

「估不到旭仔你的口味原來如此獨特……」我的心漏了半拍。甚麼？難道，我喜歡伍月的事，穿幫了？

我焦急追問：「怎麼了？發生了甚麼事？」

「你去看看學生會告示板，就知道啦！」

我快步走去學生會告示板，遠遠就看到伍月的背影，為怕嚇怕她，我無聲無息地悄悄步近……

離遠，我就瞥見那些大字標題：

極速緋聞　震驚全校

大熱倒灶、黑馬跑出？校花芝芝臨門一腳撻Q？

轟動全校！本年度最意想不到的震撼CP！

號外：灰姑娘擒獲王子歡心？

恨死隔籬，萬千少女芳心碎滿一地！

再走近一點，就看到告示板上貼滿了偷拍照，照片裡的是我和伍月在自修室裡補習，天哪，那個偷拍者雖然侵犯私隱，但卻拍得太好了吧！相片中的我倆看來很是甜蜜溫馨，我特別喜歡其中一張，拍下我們頭貼頭在看書，拍得很自然，就像是一對很有默契的小情人一樣。這批相，我好想沖印擁有一份啊！

看到這些畫面，我好像打開了天國之門，彷彿聽到天使在吹奏號角，連天也為我感動慟哭起來。

伍月也在，她也看到了，會同樣覺得歡欣嗎？還是……

我忽然有點擔心，就不由自主把手伸去告示板把相片和標語撕下，並輕輕喚她：「伍月……」

她回頭望一望我，臉上盡是驚恐之色，竟把我像攔路小狗般撥開，連跑帶跌走了。留下我呆在原地。

這下更慘了，她是害羞？還是尷尬？抑或是憤怒？

我只知道，不是好的反應，更不是我期望的嬌嗔的含羞答答的快樂反應。

從那天開始，我怎樣也找不著伍月。

她，徹徹底底地在逃避我。

我四周打聽，得知她被我倆的緋聞害慘了。全校的鎂光燈都照射在她身上，她似乎承受很大壓力。探子回報，大家因為我們關係的公開，對她冷言冷語，百般為難，真是心疼死人了。

我唯有在背後發功，向周邊認識的人放話，尤其那班女生，叫她們不要再找伍月麻煩；也矢口否認我們之間有任何關係（雖然我很想有），期望事情早點平息。可是，卻有傳有女生不知好歹欺凌她，趁她不為意時把冷水故意潑到她身上……如果我在場，那些女生一定死定了！可是，伍月完全沒有告訴我，也沒有來向我撒嬌求救……為甚麼啊？

事情是因我而起的，就算你罰我要我娶妳也可以的啊！

由於伍月用盡方法避開我，我只有在她不察覺之下悄悄跟蹤她、保護她。

這天，我跟在她後面，看到她失魂落魄地走在後樓梯，竟突然鑽出幾個醜女，在她身邊跑過，又好像故意推撞了她一下，讓她失去平衡，眼看就要滾下梯級……

幸好救美英雄在此！

運動神經一向很好的我，九秒九跑到她的身後，把她穩穩接住。

軟玉在懷，此刻，她整個人的身體柔軟地躺在我的胸膛上！她髮梢的香氣，好像靈蛇一樣鑽入我的鼻孔，再鑽入我的心，不覺的全身酥麻起來。

天雷勾動地火一樣，我想，我永遠不會忘記這一刻。

但願，這一刻可以停頓！

可是，這肢體的親昵並沒維持超過十秒，伍月就離開了我的懷抱。

然後她竟然又再次二話不說就想要逃離現場。

不行！我拉著她，阻止她離去。我的心意，想要講清講楚。

她一臉為難的回過頭來，未待我開口，就已連珠炮發：「甚麼也不用說。你不用擔心，我沒有喜歡你，你當然也沒有喜歡我。現在我最怕就是看到你。你也不用覺得抱歉。之前的事最好大家都忘了。以後大家不拖不欠，各走各路。你就當做好心，放過我，讓我重回平靜，好嗎？」

她在用吼出來的語氣說出上述的一番話，緊皺著眉頭，好像要多煩厭，就有多煩厭。

她說——我沒有喜歡你！

我沒有喜歡你！

我沒有喜歡你！

我最怕就是看到你！

我最怕就是看到你！

我最怕就是看到你！

我像被宣判了死刑，原來一直以來，真的只是我的一厢情願：「你……很討厭我？」

伍月想也不想就承認：「甚麼也好啦，總之我們不要見面。不要交談。再見。」說完就匆忙離開。

轟隆——

腦海，像打了一聲旱天雷，過後，只有一片空白。

胸口，扭結成一團千鈞重，痛苦得快要失去意識了。

我的初戀（單戀），完了！

2.7

步出校門時，天色灰暗，望出去的整個世界，也是昏暗的。

萬念俱灰之際，遙望對面馬路，還是那個令我朝思暮想的身影。

兩個小時前，我曾經抱擁過十秒的身軀。

突然，有幾個紋身混混截住了伍月的去路，其中一個更給了她一記耳光！

距離太遠，我還來不及制止，他們就已經揚長而去。

我呆住，伍月也呆住。

我的角度，只看到伍月的背影。我看到她的雙肩在顫抖，她哭了嗎？

我的心好痛，比今午的打擊好像還要痛。

雖然，我好想把她擁在懷裡，可是，我實在不敢趨前去看。

猶猶疑疑之際，伍月就奔跑走開了。

我的心由痛變成憤怒，那班小混混，他們死定了！

我認得，那幾個小混混是邨內的古惑仔，平時在邨內欺凌弱小。我不知道伍月為甚麼會招惹上他們，可是他們竟敢打女人，還是我的女人，實在不可饒恕。

我知道，他們大部分時間也在維園足球場聚集，於是我一個人，闖進去了。

他們果然在這裡，大約有十多人左右，年齡大概都比我大一點。

此刻的我，一點緊張感也沒有，我只想狠狠的把那個有老虎紋身的混蛋，好好教訓！

我脱下領帶，大剌剌地踏入球場——他們的地盤。

他們察覺到我來者不善，便用力把一記足球朝我踢來，我想也不想便起腳抽射，故意把那足球歪歪地踢得遠遠去。

說時遲，那時快，那個踢球的混混殺氣騰騰向我衝過來。

好有威勢啊，可我一點也不害怕。

「臭小子，你找死嗎？別要走！」

我來，就沒想過走。

我瞥了一眼就瞧到我的目標，他手臂刺了隻老虎——打伍月的那隻賤老虎！

我躲開那個身先士卒的爛頭蟀，快速地以雙手抓住了賤虎的衣領，右腳往他足踝一挑，將他重重摔在地上。

碰——

我用的是柔術！

兩年前，我已經是柔道黑帶。

轟的一聲，我向他的面門補上一拳，他的幾顆大牙即時給打掉出來。

我從十歲開始，就不間斷每天打沙包一小時！

一個不知死活的人從後偷襲，雙手熊抱著我，另一狗黨藉機向我腹上轟了一拳。

這下有點痛楚了。

我頭往後甩，後腦撞落在我身後的人上。

一聲清脆的骨裂聲，我知道這一撞，把他的鼻骨撞爆了。

他鬆開了雙手，我發動攻勢，不知道這班混混太弱還是我太強，十分鐘後，我輕易就把他們全數擊下。

摔、投、擒拿、絞壓……用的都是柔術最普通的招數。

不是脱臼，就是如生魚般被摔在地上。

但我的怒氣仍然未消！

我一手抓起那賤虎，大喝：「你知不知道自己犯了甚麼事？」

賤虎沒了幾顆牙，口齒有點不清：「我不知道啊，請放過我吧。」

「我給你十分鐘時間，時限一到你還跟我說不知道，我會把你的整條臂骨折斷！」

另一人插口：「小子，不要太神氣！我們是『龍城幫』的人，你敢開罪我們，就算今日你全身而退，他日也一定沒有好日子過。」

「龍城幫」？不就是老爸的合伙人……陳先生管理的幫會……

他們的背景，的確令我猶豫起來，我怕會搞砸老爸與陳先生的關係。

「怎麼了？怕了嗎？立即給我跪在地上！」賤虎神氣大吼。

我沉住氣。

「我叫你跪呀！」

賤虎向我轟出一拳，我扼住了他的手腕，反手一扭，他便痛得跪在地上，發出殺豬的慘叫。

其他人見狀趁機四散，邊走邊說：「小子，有膽量便不要走開！」

除了那賤虎，其餘的人都走了，速速去找援兵。

十分鐘後。

「十分鐘了，想到你犯了甚麼錯沒？記住，別跟我說不知道！」

他一臉可憐：「我求你放過我好不好？」

「這不是我要的答案。」

我正想再教訓他，就聽到身後傳來重重的腳步聲，只見剛才走了的人多帶了二十多人回來，而且個個手持武器。

看見援兵，他就又狗口長不出象牙：「放開我啊賤胚！」

如他所願，我放開了他。

賤虎連跑帶仆地奔向他們，居然還忘不了回頭望向我得意的說：「我不知道又怎樣？你今天死定了啊！臭小子！」

他走向一個身高六呎、身型魁梧的大塊頭前撒嬌般大嚷：「老大，就是這小子把我們打成這樣，快去把他煎皮拆骨啊！」

那大塊頭怒氣沖沖，走到我面前：「小子，你是哪一路的？」

「我不是出來混！只是看你們的人不順，教訓他們一下！」

「有種！」

大塊頭揮動手中武器。我閃開了，同時出手，把他摔在地上。

賤虎大吼：「全部上！」

賤虎恃人多，氣焰大盛，向我衝至。

他的動作太慢，我很容易就避開，然後以左手按著他的肩膀，右手握住他的手腕。

「知不知道你犯了甚麼錯？」

「錯你媽的！」

「我說過，只要你再說不知，我就會出手，你當我講笑？你行為可憎我還可以忍，但你打女人我就絕對忍不了！」

發力一甩，他的手臂就脱臼了。

在場的人同時露出駭然神色。

那大塊頭站起來，正準備向我動武，大批警員進入球場，大概有市民以為我們集體毆鬥而報警了吧。

當晚，我就在警局的羈留室裡度過。

由於老爸剛巧外出公幹，也怕他擔心，所以我並沒通知他我犯了事。

沒有人保釋也不要緊，反正我在哪裡也睡得著（以前是的，但近日因為伍月的事，我即使在家中大床，也睡不著。）

今天勞動得太多了，我試著睡一覺之際，一名警員把羈留室的鐵閘打開：「林志旭，有人來保釋你。」

我錯愕：「保釋我？」我還沒打給文叔來接我。

會不會是伍月呢？

可能伍月不知在哪途徑知道我為她出頭，深深感動，然後來保釋我。

這個天真的想法僅僅維持了五秒，連我自己也覺得白癡。

但，究竟是誰來保釋我呢？

我出到警署的大堂，看見一個身穿黑色貼身剪裁西裝，英氣凜然的男人，微微笑著望向我。

我是自問很帥沒錯，但這男人的帥氣，更在我之上，可以說，層次根本不一樣。

這個出色的男人，我記得不曾見過，但他卻對我說：「保釋手續辦好，可以走了。」

這時我瞥見男人的手腕上，戴上了一隻與其外形打扮格格不入的手錶。

哈哈笑手錶。

我聽說過，江湖上有一名大人物，他曾以一人之力挑戰權威，力敵整個幫會，被發放江湖追殺令，避走城寨。

他在城寨裡，不但結識了幾位好朋友，而且還找到一生中最愛。

他的愛人在他出城之日，把一件信物交予他，正是一隻哈哈笑手錶。

自此，這手錶便一直戴在他的手腕上。

而故事中的男女主角，最終也排除萬難走在一起，活像童話的情節，令人感動，也令人稱羨。

這一個傳說，一直在江湖上廣經流傳。

傳說中的男人，正是「龍城幫」的龍頭老大，江湖人稱——火兒！

亦即是，一直向我老爸教路的陳先生。

我跟火兒雖然素未謀面，不過我卻可以肯定，眼前人就是他。

這個男人，舉手首投足都有一種懾人魅力。

領袖的魅力。

不是陳先生，還會是誰呢？

我跟他步出警署，坐上他的法拉利座駕。

他那戴著哈哈笑手錶的手在轉動跑車的方向盤，看來有一點搞笑。

當然我不敢笑。

他一直沒説話，於是我忍不住問了一句：「你是陳先生？」

他有型一笑：「夠眼光！不過我的朋友通常不會叫我陳先生。你是我的世侄，就叫我火兒哥吧。」

他不拘泥，我也爽快：「火兒哥，你怎會來保釋我？」

他莞爾一笑：「江湖上的消息，我還算靈通吧？我跟你老爸是朋友，你出了事，老爸又不在香港，所以我就來了。」

「呃……多謝你。」其實他大可以叫手下來保釋我，為何要親自跑來呢？

「你是否很奇怪，我為何要親自走上這一趟？」

厲害，連我的心想甚麼也知道。

「嗯。」

「因為，我覺得你有點像我。你為了替別人討回公道，竟然單挑這班比你年紀還要大的惡人。這份氣概，我年輕時也有！」

一九八八年，火兒獨闖果欄，以一敵百的事跡，早已成為江湖的經典。雖然那時候我只是個乳臭未乾的小鬼頭，但關於這一戰的流傳，我也有所聽聞。

說起惡人，我仍氣難平：「我最討厭那些恃著有背景就以為自己可以橫行的人！遇上這些人，我只有以暴易暴！」其實，他們打了伍月，才是令我最憤怒的主因，不過我不好意思說。

我望了望火兒哥，覺得有點不好意思。

「火兒哥，對不起，我打傷了你的人……」

「那班小混蛋打女人，該打！」火兒看了我一眼，然後饒有深意地道：「不過以暴易暴，在這年代不管用的了。年輕時我也很喜歡用這種手法，不過不知道是不是人大了，膽小了。現在遇到這種事，我會選擇——以和為貴。當然，若遇上一些難搞的傢伙，道理說不通的時候，最好報警。」

「報警？」我沒聽錯吧？

「警方當然有義務保障我們納稅人的安全，是不是？」

「但你們是……黑幫嘛，不是有所謂『江湖事，江湖了』嗎。」

「哈哈哈哈！」他笑得豪爽：「你看得太多黑幫電影了。」

他頓了頓，「旭仔，你試想想，如果剛才你敵不過他們，最後的結果會怎樣？有可能，你會給打至重傷，有可能你會破相。你如此英俊，破了相就很可惜了。」

我打了聲哈哈。

他續説：「更嚴重的，如果掉了命怎算？你認為值得嗎？」

我回頭一想，想到剛才他們真的有利器，一時憤怒給了捅上一刀，就真的很不值了。

「我想我明白你的意思，我會好好記住了。」

火兒哥滿意一笑。

「到了。」火兒哥把車子停在我家大門。

「今天謝謝你了。」

「不用客氣，遲些還會有機會再見的。」

我關上車門：「再見。」

看著火兒哥的座駕絕塵而去，我才舒一口氣。

雖然火兒哥平易近人，但剛才的車程，我還是感到一種無形壓力。

或許，這就是老爸口中，大人物的風範，大人物的台型，大人物的氣場吧——貨真價實，不是裝出來的那種。

*編按：有關火兒與哈哈笑手錶的故事，請看余兒另一作品——《九龍城寨》。

2.8

第二天早上，我接到學校打來的電話。

校方知道了昨日發生的嚴重事故，說要暫時將我停學，直至事情明朗後才讓我復課。

雖然我知道學校只是擺擺姿態，好作交代，但我卻是一聽就發火：

「你說停學就停學，復學就復學，你們有否問過我的意思？我現在跟你們說，我退學啊！」說完，掛線。

因為我是一個十七歲的男生，所以難免血氣方剛，不能否認，我是蠻衝動的。

不過其實，我也已經不想再留在學校了。我不想看到討厭我的伍月，這真的很難受。

我以為，只要遠離她，我就會慢慢忘記她，傷口就能癒合。

反正我也不是甚麼讀書的材料，也無心應付會考，輟學也不可惜。

老爸知道我生事以後，狠狠罵了我一頓，然後著我去美國唸些甚麼也好，至少拿張文憑回來。於是我就挑了一間肯收我唸電影製作的野雞大學，算是用兩年時間換了張沒甚麼用的證書。

回來後，老爸安排我在他集團旗下的商業公司做些文職工作，說是要鍛煉做生意的能力。但未幾我就投訴沉悶又刻板，於是提出到酒吧工作。一來，我是一個喜愛夜生活的人，二來，這一陣子我對調酒相當有興趣，想要當個調酒師。

老爸不太願意讓我到夜場工作，不過由於我堅持，這個寵愛兒子的老爸也只有無奈接受。

當調酒師的那段日子，因為要試酒的緣故，所以時常喝酒。我的酒量很好，但偶爾也會喝醉。大家都說，喝醉的最大好處是，醉了能讓人忘記現實中的人和事。

我想要忘記伍月。

我曾經以為，我很快就能忘記她。

但要忘記一個人，比永遠記得一個人，好像還要困難得多。

有些人闖入自己的生命，進駐自己的心頭，原來，就像生了根。怎樣切割，也揮之不去。

喝醉了總會醒來，清醒的時候，我還是記得伍月。

我試過在宿醉中的夜半醒來，張開眼睛望著看不見的天花板，不停回憶剛發的夢，因為夢裡，好像有伍月的出現。

這時我總會苦笑，為何她是如此難以忘記？她是降頭師，向我下降了嗎？

有時夢是甜美的，伍月總是溫柔地對我微笑；

可是更多時候，現實裡伍月最後對我說的話：「我沒有喜歡你！我最怕看到你！」卻經常成為我的夢魘。

有時在半夢半醒迷糊間，我會以為伍月只是個在夢裡出現的人，從來沒有真實出現過。而過去那些現實，也的確已經漸漸遠去而變得不真實。

有人說，要忘記一個人，最好的方法就是結識另一個人。

於是，一開始的兩、三年間，我認識了很多女性朋友。

在美國讀書時的留學生同學、洋妞同學，幾乎一泡就上手，但都只是短暫的、各取所需的玩伴。現在呢，則大多都是酒吧的客人，有的只想尋開心，有的卻是真的想跟我長相廝守。

我對每一個女人都清楚表明，我沒打算認真，她們也斷不會是我的最後一人。

因為對她們每一個，我都沒有真正喜歡的感覺。受不了的，就不要接近我。

數算起來，我有過很多女性朋友，但真正稱得上是戀愛的，可能一次也沒有。
即使桃花開遍，卻沒有一朵能往心頭紮根。

然後，
多年過去了。
歲月流傳，而我，還是記得伍月。
伍月她，從來沒有走出過我的想念。

收音機此刻傳來五月天的〈突然好想你〉。

最怕此生　已經決定自己過　沒有你　卻又突然　聽到你的消息

它那麼透徹地說準了我的心情。因為，緣份之神對我真的很殘忍。
每一次，就在我覺得自己快要能忘記的時候，這神祇都要作弄我一次。

像是說，我喜歡一個人去看電影，因為在一片漆黑，全場都把焦點放在大銀幕的時候，我可以甚麼也不想，全心投入另一個世界裡去。

2004年年底，我原本還在美國讀書，但那時冬假我回到香港過節。聖誕節那天，我約了舊朋友去戲院看戲，我竟在那裡再一次遇上伍月。

那時距離最後一次和她見面的日子，數數手指已經有差不多兩年了。

那麼巧合，她就坐在我的前一行。

她沒看到我，我卻清清楚楚地看到她。

她長大了，更秀氣，活脱就是我心目中想像的100分女孩。

如果她身邊沒有人，我一定會叫住她。

但事實是，她身邊那人，是她的男朋友吧。

我多麼希望，她這甜甜的可愛的笑容，是向後方一點發送，而不是向著她身邊的男生。

我看的戲是周星馳的《功夫》，全場都在哈哈大笑，卻獨獨只有我笑不出聲。

當我看見伍月把頭挨在男生的肩膊上時，我覺得再也忍受不了，所以我決定要中途離場。

離開的時候，我故意踢了踢伍月男朋友的椅背。

我並非幼稚得要踢他出氣。

我只想看看他是甚麼樣子。

他轉身望著我，我也看著他。

我説了句：「對不起。」

他也有禮地應了一聲：「不要緊。」

之後我就離場了。而伍月並沒察覺到我。

離開戲院，心仍覺得很酸。我在妒忌。

我不明白，已經過了這麼許久了，為何她仍能如此觸動我？是因為得不到，所以才難以忘懷嗎？

之後的日子，我試著跟更多的女人在一起。只是無論多少女孩來過，又走了，她們都從來沒有走進我的心裡。

我覺得我的性格愈來愈差勁。明知道跟我一起的女人會喜歡我，而我卻在浪費她們的時間。

以我的條件，在酒吧，實在太容易認識到女性。

然後某一天，我覺得厭倦了。

我喜歡的人已經跟別人在一起了，我這樣不知所謂地跟其他女生胡混在一起，又有甚麼意義呢？

我覺得，我不可以再留在酒吧工作了。我決定到老爸近年雄心壯志、想要擴展業務的電影公司上班。

電影公司大多都是文職人員，不過不時也會有演員來試妝及洽商合作。有些想要爭取機會的女孩，知道我的身份，會主動向我埋身。因為在酒吧太容易跟女人搭上我才走進這裡，但似乎我的桃花運很暢旺，要避也避不了。

即使那些在銀幕上不太起眼的七線孖星，真人其實也很耀眼，輪廓分明；身材修長苗條有之，玲瓏浮凸有之，有些真的就像個洋娃娃一樣。真是考驗定力的大挑戰。

明星以外，還有其他跟我們有直接聯繫的宣傳公司、公關公司等合作單位，都紛紛有如蜜蜂黏蜜糖般對我青睞有嘉（當然是女性），約我吃飯，洽談公事。

有次，某電影公關約我去酒店談合作，飯後，她給了我房號……那一刻我覺得自己好像當男公關，不過此公關不同彼公關啦。

自此之後，盡可能都約她們在公司見面算了。

以前，我總是來者不拒；現在，要拒人千里啦。

我不想再跟那些自己不喜歡的人胡混，我只想專心投入事業。

但我愈是拒絕，愈惹來更多更多的「狂蜂浪蝶」。

我開始覺得，我是否該直接去當明星。不過我對唱歌演戲的興趣不大，因此還是作罷。

不過，這樣下去也不是辦法，於是我捏造了一個故事，逢人便說——

我曾是個玩弄女人心的浪子，被我傷害過的女人數以百計。

由於我一向用情不專，所以也不知自己到底有沒有一個真心喜歡的人。

直至阿月的出現（大話一定要半真半假才可信，所以我借用了伍月的名字。），我們真心愛著對方，過了一段開心快樂的日子。

後來我才知道，阿月的父親跟我父是商場上的世仇宿敵，我們絕不能有好結果。

兩個家族更曾因為我和阿月的事而發動了多次商戰，損失慘重。

阿月提出跟我私奔，但我卻說要管理老爸的生意，不能一走了之。

阿月覺得我緊張生意遠勝於她。

因此傷心欲絕，遠走他方。

多年來我一直沒有她的消息。

或許她已嫁人，或許她已不再愛我。

但我會一直等她，直到我知道真正的答案。

我答應過自己，在我還未等到阿月回來前，絕不跟別的女生一起。

聽眾甲：如果阿月不回來呢？

我：那我就從此不再愛別人。

眾人被我打動得淚眼連連。

想不到老掉了牙的《羅密歐與茱麗葉》故事，會令她們如此感動。

所以說，橋段不怕老土，最緊要受落啊。

聽眾乙：你對她的愛真的沒限期嗎？

我：曾經有一段戀愛我沒去珍惜，到了失去才後悔。如果要我在這段愛加上一個期限，我希望是——一萬年！

聽罷，她們有些在放聲大哭。

她們肯定沒看過，周星馳的《西遊記之仙履奇緣》。

自此，我們淒美的故事便一直流傳。

而我，在她們心目中，烙下了一個癡心漢子的形象。

劃清情慾界線後，我與女性友人的距離反而拉得更近，偶爾都會跟她們一起去happy hour，有時候她們也會跟我訴說心事。

慢慢地，我也脫下了裝模作樣的面具。回想讀書的時候，我總是為了形象在裝酷裝帥，真夠幼稚造作。

在娛樂圈這個人稱大染缸、男男女女都想爭上位、有很多潛規則的品流複雜之地待久了，看的人多了，就發覺到，城市裡，每個人都有每個人的故事，每個人都有說得或說不得的過去，我也慢慢更沉著。

2005下半年，老爸進出醫院的次數相當頻密，不是頭痛就是腳痛，有時候兩天拉不出屎又嚷著要去醫院。不久就發現，他並不是往平日會去的私家醫院求診，而是改為指定要去某公立醫院，事態非比尋常，相當可疑。後來我才知道，他看上了某個護士小姐，這方法竟原來是他的追求伎倆之一，爛到令人抹一把汗。

某次在探病（詐病）後，我在那間醫院裡，又一次遇見了熟悉的身影。

失魂落魄的伍月。她更顯纖細單薄，我見猶憐。

不用福爾摩斯的頭腦也知道，準是她的親人住院了，而且情況看來並不樂觀。

我悄悄跟在她身後，看到她前往探望一個臉容枯槁的中年漢子，態度頗為親暱，猜想那應該是世伯吧。

待她走後，我向那個跟老爸有點曖昧的護士打聽，得知那人的確是伍月的爸爸，患了末期癌症，狀況很壞。已經怎樣做也無法驅走病灶，最後的時刻，可能就在短期之內了。

這解釋了伍月為何渾身都籠罩著悲傷。

可是，我沒有資格和福份，可以待在她身邊，安慰她、撐住她。

我想為她做點甚麼，卻實在不知道可以為她做些甚麼。

我只知道，腦海的記憶庫裡，又多了一個愁眉深鎖、神色慼然的伍月，而且揮之不去。

過了幾天，我拜託了護士小姐，讓我在探病時間的過後留下來。為了悄悄地探訪伍月的父親……

眼前這個枯黃瘦削的男人，是我喜歡的女孩的父親。

如果夠幸運，這個人，本來也會成為我很重要的家人。

「世伯，你好……」

「你是？」

「我是……伍月的同學。」

「哦……有甚麼事嗎？」

「嗯……其實也沒有甚麼特別事……只是我老爸剛好也進了這間醫院，我剛好知道了世伯也在……便想來看看……有甚麼事可以幫得上忙……雖然我知道也許幫不了甚麼……」我説著不知所云的開場白。

「你是阿月的男朋友？」

「不是不是……」

「如果你不是她的男朋友，又怎會關心我的病情呢？」世伯寬心地笑：「不用騙我了，我知道阿月在拍拖。都不知道她在想甚麼，我一早叫過她帶男朋友來見我，她總是在推搪……這下好了，你終於來了。不用怕，世伯很開通，中學生拍拖沒甚麼大不了。」

世伯口中的男朋友，應該是去年我在戲院撞到跟她在一起的男孩子吧。原來，伍月一直也沒有把男朋友帶回家給父母認識。所以此刻，世伯似乎已錯認了我是伍月的男朋友了，這下怎算好？

把事實告訴他？還是應該假裝下去？

「你跟阿月開始了多久？」

「沒……多久，一年左右。」

我還是選擇說謊了。因為我忽然覺得，世伯剩下的日子已經不多，如果這個善意謊言可以令他開懷一點，我樂意說、應該說。

「咳咳……」我慌忙扶世伯坐直身子，拿起杯子給他喝了一口溫水。

他因病而混濁的雙眼，聚焦起來，帶著善意，直勾勾地打量著我，忽然有了神采般。

「好，很好。一表人才。你跟阿月，是怎樣開始的？」

「唔……這個嘛……」我搔搔頭，緩緩說：「一開始是這樣的：伍月跟我是同校同學嘛，我讀書成績很差，而伍月是高材生，所以老師叫她替我補習。那時開始，我就一直一直很喜歡她，我很努力追求她，然後我們就一起了。」平行世界裡，或許故事的確是這樣發展的。

「哦，我記起來了，前幾年伍月好像說過要在假期回學校替人補習的，原來那人就是你，哈哈，那你後來的成績有進步嗎？看你的衣著打扮，家境一定不錯吧！像你這樣的帥哥，一定是女生們的傾慕對象……你喜歡阿月些甚麼呢？你覺得阿月哪裡好了？」

「世伯，你別這樣說啦……」伍月的好，我知，你也知道吧：「伍月她在我眼裡，甚麼也是好的。她的人很善良，會餵流浪貓；好聰明，考試總在三甲之內；非常倔強，被人欺負了也不哼一聲；有夠可愛，笑起上來雙眼會彎起來……總之，我數不清楚，可能我太喜歡她了，她的一舉一動，在我眼裡也是相當好看的風景。每次看見她的笑臉，我的心情就會開朗起來，就算有痛苦事不快事都會忘記。現在我啊，吃了好吃的東西，會想起她；看了一齣好戲，也會想起她；走過一些美麗的景物時，更會想起她，心想，如果她能夠站在身旁，就好了……」

「她最近每天都來陪我，她一定很少時間跟你去拍拖了吧？」世伯說。

我耍耍手：「她當然是來陪世伯要緊啊！我們少見些……不打緊的。」

「我說說笑而已。看得出……你是真心喜歡我的女兒，我很放心。」世伯安心笑著：「以後，你要替我好好照顧她，別讓她受傷害。」

我猛力點頭。

「是男人的誓約啊！」世伯把手伸出，要跟我握手。

我用力的握緊他的手。

「世伯……不要讓伍月知道我來過，可以嗎？她不想我來……說是怕你不高興……」

「嗯。伍月這個傻瓜。我告訴你啊，別被她的樣子騙倒。她外表雖然有點冷淡，但內心很是熱情的，更多時候更是口是心非，明明喜歡的東西，卻總裝作不在意……」世伯淺密：「像她其實心很軟，如果生氣了，請她吃東西就沒事了。她對美食沒甚麼抵抗力的……」

「嗯，我知道啊，我就試過用食物討好她呢！對了，其實伍月最喜歡吃甚麼？」

「她最喜歡吃的東西嘛，就是臭豆腐了……她沒有跟你去吃過嗎？……還有，她喜歡吃果汁軟糖……」

之後我們的話題，都是圍繞著伍月。

原來伍月如此。原來伍月那樣。

那夜，世伯一直侃侃而談。說起心愛的女兒，他那泛黃暗沉的臉彷彿紅潤起來，有種奇異的光彩。

「代我好好照顧伍月。」臨別前，世伯再輕輕的叮囑了我。「無論將來如何，請盡量對她好。」我唯有回說，下星期再來看他。

可是，過了幾天，世伯就拋下愛女，撒手塵寰，離開人間。

人生在世，死別與生離大抵是最大的苦難吧。死別讓人吞聲悲慟，媽媽在我年幼時就過世了，那時我雖然年紀小，卻深深領會到那種永恒失去的恐懼和哀傷。生離則是無了期剪不斷的惻惻悲哀，明知那人仍在世上某處，卻永遠不能相見，經常教人思憶不已。

醫院一別，我和伍月又斷了線。

可是，不能握在手裡的感情輕如鴻毛，卻結結實實的重重地砸在心頭上。

一年多後，我又碰見了伍月。

某晚我的車子拿去修理了，而我剛巧在電車站附近，去的地方也在電車軌道上，便搭乘了久違的電車。

那天人頗擠，我就站在下層中間。就在電車離站的剎那，我望向月台裡擠不上這班車的人當中，有一個正是伍月。

她還是穿著聖彼得的校服。

那一刻，隔著車窗玻璃，我覺得自己跟她的距離很近，卻著實很遠。

我離開學校很久了，經歷過社會上很多千奇百怪的人和事，而伍月，還是清清爽爽的一名小女生。

我們就好像生活在不同的星球上。

電車開動，我的星球離她的星球更遠了。

我感慨，可是日子還是一般地過。

最後一次真正看到伍月，是2007年5月。

在台北的九份。

我就在她身旁擦身而過。

一如以往幾次，她沒注意到我。

或者，她根本記不起我。

在她的另一邊身旁，依然是當年跟她一起看戲的男生。

會一起去旅行的話，感情想必非常要好。

我居然，還是會妒忌。

回到香港，我拿出素描簿，把遇到她的一幕畫下。

那麼輕易，我就能把她描畫出來。

可見我一直沒放下她。

我笑了笑，沒所謂了，我不再刻意去忘記她了。

聽過有句話說，「若要逃，先要脫」，想要逃離被困住的心境，得先脫開所有偽裝，赤裸裸的坦蕩蕩的面對真實的自己。我要把伍月重重的放下，就得把她輕輕的舉起，永遠留一個位置給她。

忘記，不忘記都好，她都是我心底裡一個特別的存在。

五月天〈突然好想你〉的 MV 裡，人人抬起頭望向天空，都在掛念一個遠方的人。

我呢，會想起中三時束孖辮的伍月；會想起自修室裡把飯粒沾在嘴角的伍月；會想起戲院裡依偎著別人的伍月；會想起醫院裡瑟縮的伍月；會想起擠不上電車的伍月；還會想起長大了在台灣出現的伍月。

儘管她並不會知道，這世上有那麼一個傻瓜，一直在惦記她。

或者，她一生也不會知道。

而那時的我還不曉得，她只是，還不知道而已。

後來那幾年，我個人，到林家，至公司，再以至整個社會、整個城市，都經歷了很多變化。

2009年，公司在金融海嘯中不但順利過渡，還居然在逆市中增加了資產。老爸再婚（跟那個護士小姐奉子成婚），同年，我同父異母的弟弟出生。

2011年，公司的電影院擴展至第八間。年底，我買了一輛夢寐以求的保時捷跑車。

2012年，五月，我在五月天演唱會的大銀幕上，竟又看到伍月。那是鏡頭捕捉台下的歌迷表情，她的俏臉，就那麼突然地出現在我眼前，讓我的心漏了半拍。她那幾秒間的一絲難為情和甜美笑意，都烙印在我心上。我在會場上想要搜尋那萬人中的一人，可惜遍尋不獲。那年，老爸把部分資金移往海外投資房地產。

2013年，娛樂圈和媒體都為著免費電視牌照事件鬧得熱烘烘。這幾年的政治氛圍，讓身邊的生意人都步步為營。跟中國的生意合作卻還是免不了，像合拍片，也得一步一步的小心經營。老爸像半退休似的，跟他愛人和小弟周遊列國四處遊玩，把實際營運都交託在我手上。

我想，我已成長為一個獨當一面的大人。

世故、圓滑、懂事、熟練。

無論如何，我已經走到這裡來了。

2014年，五月初。

這天早上，我才忽然想起，會不會又在月底的五月天演唱會看到伍月呢？

想不到，真的會在現實生活中，重遇上她。

中午時分，我正等候過馬路，突然有位外籍人士向我問路。

我的英文還可以，誰知道他説的是法語，而英文卻是非一般的爛。我們雞同鴨講的，正在用最原始的身體語言在比劃著。

就在此時，一個女生走過來替我們解圍。

是伍月！

我們四目交投，就像當年，我第一次看見她的情境一樣！

那一年，她十四、我十七。

十二年後的今天，她二十六，我二十九了。

我有一個強烈的預感，屬於我們的故事，終於開始了。

後來的他和她

3.1

五月天時，理應還是有點涼，旭仔卻感到整個背脊都被汗水濕透了。

伍月這時，理應趕著去還債，腳卻像是被釘住，一時間動不了。

旭仔和伍月，終於再一次重遇。

就在被對方瞧到彼此的窘態之下。

刻下兩人都緊張得很，通俗地形容，就是心臟像是要從嘴裡跳出來似的感覺。

良久，還是伍月先努力擠出第一句話：

「再見。」

說完，伍月已經感到後悔，她明明就不想就此離開。但這麼多年過去了，伍月不知道，旭仔到底是否記得自己。

此話一出，伍月唯有舉步前行。

第一步，她在旭仔身邊經過。

第二步，她已走到旭仔身後。

正想踏出第三步……

「伍月。」

旭仔厚厚沉重的聲線，叫住了她。

伍月停下腳步，慢慢轉過身來：「你……還記得我？」

林志旭失笑。對他而言，這是何等可笑的一條問題！

他是否還記得她？她居然問他是否記得她——他的喉頭湧過一絲苦澀味。

「我當然記得，妳是……跟我讀同一所中學的伍月。」是他……朝思暮想的伍月。

按下一開始的措手不及，旭仔已經能夠好好反應過來。看來經過那麼多年，陽光毛躁的大男孩，已經變成心思深沉得多的穩重男人。

「林志旭，真的好久不見了。」伍月笑了笑。腦海裡掠過當年的某些片段。

旭仔也笑了笑。他並不知道，這一笑，他笑得有多深。

「有沒有事我可幫得上忙？」伍月知道，剛才在手提電話對談的內容，的確都叫旭仔聽到了。只見伍月搖頭：「我沒問題，不用幫忙了。」

給旭仔知道自己欠下債項，伍月已感到無地自容，以她的性格，又怎會厚著面皮叫旭仔出手？

「那麼……妳辦完事後會有空嗎？」

「哦？有的。」

「我們可否約個地方，聚聚舊？」

其實，他們以前就並非深交，聚舊這兩個字似乎用得不太恰當。不過旭仔此刻已想不出更為貼切的詞彙。

而伍月，一時間也聽不出有甚麼不妥。

她沉吟半晌，心其實只在想著：「今天穿得真衰！」

旭仔望住她在躊躇，心裡不禁焦急：「答應啊，求神拜佛她要答應啊！」

「好。你想去哪裡？」

Yes! Thanks God!「我把我的手提電話留給妳，待妳辦完事情，就致電給我吧。」

「嗯。」

「妳的電話是甚麼號碼？我打給妳，妳記下來電顯示就好了。」

「XXXX-XXXX。」

Oh yeah! 我得到她的號碼了。「那待會兒再見好嗎？」

「一會見。」

旭仔離開後，伍月有點洩氣：「唉，丟臉丟到月球啦，怎會在這情況遇上林志旭的！他一定以為我是個嗜賭的人，待會要想辦法跟他解釋。」

離開後的旭仔，這刻已經極速走上座駕，臉上仍難掩其興奮神色：「唷，真好！竟給我再次遇上伍月。不管伍月為何會欠人家的錢，但那個甚麼大東哥在氣粗粗罵她就一定沒錯。」伍月的電話嚴重漏音，大東又聲大夾惡，旭仔把剛才大東跟伍月的對話一清二楚全聽進耳內。

旭仔但覺這是他的好機會，想了想，記起剛好有認識管轄油尖旺警區的朋友，便致電向他打聽，附近哪間麻雀館的惡棍叫大東。

一通電話，他就知道了答案。

「長勝麻雀館的大東，我就來會一會你，看你惡得到哪裡？」他決定要比伍月更早找上大東，解決她的問題。「在這裡到佐敦麻雀館，只要我踏盡油門，不到五分鐘，就可到達了。」他心忖。

旭仔駕著跑車，當然自信能比伍月更早到達目的地。

不過，人算不如天算。

十五分鐘後，旭仔急得有如熱鍋上的螞蟻：「怎會這樣的？」

想不到途中的佐敦道發生交通意外，導致大塞車。旭仔的跑車被塞在路中心，沒有動過半分。

看來旭仔要比伍月更快到達麻雀館，很難了。

佐敦，長勝麻雀館。

伍月已經來了。

作為嬌滴滴的一介女流，伍月隻身走來這龍蛇混雜之地，這份勇氣已夠大了。

她推開了大門，裡面一片吞雲吐霧。

顯然，伍月跟這種地方格格不入。

一名稱之為「睇場」的工作人員走向伍月身前，並上下打量著她：「來還錢嗎？」

睇場認得伍月，因為她已不止一次來過代母還債。

伍月厭惡地點點頭：「嗯。」

伍月走上二樓，已見一個貌似電影常見歹角的人坐在一張大班椅上，蹺起二郎腿，意態十分囂張。

他就是大東哥。

大東看見伍月，即惡形惡相：「小姐，你有沒有時間觀念的？你約我兩點鐘，現在何時？」

兩點零一分啊！

伍月膽怯卻硬著頭皮：「遲了一分鐘，不用那麼緊張吧？」

此話一出，站在大東身旁的門生即時大喝：「我老大分分鐘也是金錢，一分鐘隨時過百萬上落，你累我老大掉了錢，有能力償還嗎？」

「你不要說得那麼誇張，總之我來了，錢也帶來了就是。」

伍月從錢包取出幾張千元大鈔，數了好幾遍後，就放在大東身前的桌子上。

大東接過鈔票，數了兩次，歪嘴一笑（雖然是笑，但比起不笑更醜）：「你母親欠我四萬元，說好了每月一號還款一萬，現在這裡只有八千，算是甚麼意思？」

伍月硬著頭皮：「現在我真的只有那麼多，多給我一星期，另外二千元我一定可以還你。」

大東奸笑：「我們出來行走江湖的，最重要的是講求信用，你答應了我的事做不到，即是毀了我們的承諾。嘿嘿，我大可以在你臉上劃兩道疤痕當作利息啊。」

伍月一驚：「你……別亂來啊……」

大東站起來，走到伍月身前：「放心，我最憐香惜玉，以妳的條件，莫說是四萬元，十多萬隨時也能給賺回來。」

伍月更驚：「我……我不會出賣自己的身體的。」

大東一手拍著伍月的肩膊：「沒人叫你出賣自己，你以後跟隨老子，只服侍我一個人，只要弄得我開開心心，我保證你會有好日子過。」

伍月想吐：「別碰我，放手啊！」

伍月意欲掙脱，想要甩開大東，奈何這位醜男力氣很大，任伍月如何使力，也脱不了身。

一旁的門生在起鬨：「能給大東哥看上，你幾生修到啦，嘿嘿嘿。」

就在此危急之時，一個氣急敗壞的人衝了上來。

「停手！」

大東眉一皺：「誰敢叫我停手？」

伍月、大東和他的門生，同時投向那人身上。

不是林志旭，還會是誰？

「你是誰啊？」

「你不用理會我是誰，你們要錢罷了，不要為難女人。」林志旭走到伍月身邊，把她拉到自己後面。

林志旭面對著這班惡人氣定神閒，大東打量著他，覺得這個人雖然帥得像韓星，但卻有一種説不出的氣度，叫他不敢貿然亂來。

「總之，她欠你多少，你跟我説就可以了。」

「你很有錢嗎？」

「不算很多，總之夠付。」

「臭小子……」大東嘀咕，突然吼道：「十萬元！我要現金！你付得起就可以立即帶你的馬子走！」

聽到馬子一詞，伍月雖則臉紅了，但還是硬著頭皮提起嗓子：「哪有十萬那麼多！連本帶利我只欠你四萬元，今天還了八千，現在只欠三萬二千！」

「這位大哥，她說只欠你四萬而已。」

「我說十萬就是十萬！沒錢就別來充英雄，哼！」

「你打算不講道理？」

「甚麼道理啊？我大東哥的說話就是道理！」大東把臉貼近林志旭：「這個世界，誰惡，誰的說話就是道理，你清楚沒有？」

「聽得很清楚了。請你別貼得那麼近，你快要吻到我了。」旭仔一副厭惡的表情，用手按著他的胸口。

「清楚就付錢，沒錢就滾！」大東把醜臉望向伍月：「這馬子就留下來，讓我慢慢跟她玩！」

「你這種人，跟你好聲好氣是不行的。」林志旭拿起手提電話，按了幾個號碼，不一會便接通：「火兒哥，我是旭仔，抱歉打擾你……」

大東那班人一聽到火兒的名字，面面相覷，臉色大變。

「不好意思，有件事要麻煩到你。有沒有聽過佐敦大東哥？我正在他的麻雀館……」

隔了幾秒，林志旭把電話遞給大東：「火兒哥找你。」

大東戰戰兢兢地接過電話，然後態度立即一百八十度轉變，只聽他恭敬地不斷跟電話那頭的人重複說著兩個詞語：「對不起、對不起，是是是……是是是……」沒第三句話，說完就把電話交給林志旭。

旭仔：「火兒哥，麻煩了。下次見面再談。」

掛線後，旭仔冷冷地望著大東。二人對峙了幾秒，大東突然堆出噁心的微笑。

「原來旭少是火兒哥的朋友，真是失敬失敬，嘻嘻……」

林志旭沒答話，在西服暗袋取出一疊千元鈔票，數錢。

大東笑說：「你既然是火兒哥的朋友，我當然不會計你利息啦。伍小姐欠我的本金只有二萬，扣除八千，現在只剩下一萬二千元。小數目，算了吧，哈哈哈。」

林志旭把一疊鈔票放在大東面前：「我不會虧欠別人，三萬二千元，你點算一下。如果數目沒有錯，麻煩把欠單交出來。」即使有火兒那麼硬的後台撐腰，旭仔仍舊數目分明，可能，他更怕伍月跟這伙人糾纏不清。

走出麻雀館，伍月驚魂甫定，不知是嚇怕了還是甚麼，她面無血色地望向旭仔：「多謝你來。」

「小事。」旭仔搔了搔頭，有點害羞：「不用客氣啦。」

「三萬二千元不是小數目……這筆錢，我一定會還給你的……」伍月雙眼低垂，旭仔看不清楚，長長睫毛掩蓋下的一對大眼睛，此刻流露著甚麼表情。

「只是……請給我一點時間。」伍月幽幽的道。

旭仔終於意會伍月的羞愧之情，也有點不好意思：「對不起，我剛才聽到妳跟大東的電話內容，所以就自作主張，想要幫幫妳，希望妳不要介意……我自把自為……但真的只是舉手之勞而已，因為碰巧我有些人脈可以幫上忙。」旭仔刻意淡化事件，不想讓伍月難堪。實情是，他平日若非大事，是絕不會打擾火兒的。而且剛才大塞車，他在情急之下，便索性把跑車棄在公路旁，下車跑到麻雀館，車子可能都被拖走了。

伍月抬起頭，苦笑一下：「不，謝謝你來，不然……剛才我都不知怎麼辦……無論如何，我都要說聲多謝。可能對你來說，真的只是輕而易舉的事，但事實上你真的幫了我一個大忙。除了謝謝，我都不知說些甚麼才好……」

「妳已經說了很多句多謝了，我們是舊朋友，真的不用客氣嘛。對了，阿月，妳是否……很等錢用？」咦，幾時開始，伍月變了阿月的？

「不，」伍月想了想，決定向還不太相熟的旭仔說出實況，畢竟他現在也是她的債主，他有權過問她的財務狀況：「其實是我母親嗜賭，才會欠下大東的錢……除了大東，我們還欠幾筆欠款……不過沒問題的，我都應付得到。剛剛欠你的那筆錢……可以分期歸還嗎？」

旭仔在心內盤算了一下，伍月的爸爸，至今已經去世九年了。這九年以來，她是如何走過來的呢？旭仔忽然想起伍月爸爸的臨終託付，他曾答應過世伯，會代他好好照顧伍月，但他沒有遵守那約定。

他看著說得故作輕鬆的伍月，心疼疼的：「原來是這樣，那妳現在在做甚麼工作？」

「我……剛剛失業了一星期。接了些freelance，也做著兼職。」伍月還沒正式找正職工作，因為她還在猶豫著，是不是要轉行比較好。

「那妳有興趣替我工作嗎？我保證薪高糧準。而且，那筆欠債，就在薪水裡扣除，不就好了嗎？」

「真的嗎？」雖說吃人的嘴軟，拿人的手短，但如果能有份優差，用自己的勞力換取報酬，說法可又不一樣。窮伍月的雙眼此時才發出精光，充滿期待：「是做甚麼的啊？」

「我的私人秘書。」旭仔的頭腦轉數的確夠快，製造機會的手段，也比當年高明得多了。

「哦……那你現在在哪裡上班？」

旭仔一笑，取出名片遞給伍月。

伍月看到名片上印著：

旭日娛樂　行政總裁　林志旭

3.2

伍月眉間一蹙：「旭日娛樂……就是你爸爸的電影公司嗎？我沒有做過秘書工作，不知道能否勝任……」

旭仔急忙擔保：「妳放心，只是些簡單的文職工作，應該難不倒妳。」

伍月躊躇，心忖或許在還沒有下定主意是否轉行之前，先在這裡耽待一會也是好的，反正免了寄信求職、幾輪面試、呆等消息等等麻煩關卡。

「真的可以嗎？那，我甚麼時候可以開始上班？」

聽到伍月答應了，林志旭打從心底裡雀躍起來，事情實在太順利了。

「隨時也可以，今天也可以。」

「那就明天正式開始，好嗎？」

有了確切的再見約定，旭仔心寬了。他不用再擔心，這次是不是最後的會面。

不止一次，他在遇見伍月時想過，人與人之所以相遇，說不定背後真有緣份之神在搞鬼。

人海茫茫，世界很大，能同途偶遇在同一星球上，不是很玄妙的一回事嗎？

各行各路，從來不曾踫上的，是兩條平行線。

相遇在某一點，各自再上路的，像是一個X。

從不同的原點出發，遇上，再並肩前行，就是一個Y。

好幾次，他跟伍月曾經靠近，卻又岔開；這一次，他期待和伍月，會發展出一段Y的關係。福至心靈，他忽爾想到，旭和月的英文縮寫，不都是Y嗎？

一定是緣份作祟，他肯定。

於是，他笑得前所未有的甜蜜。

如果有人經過看到，一定覺得噁心死。

這一晚，伍月也為了這趟重逢，感到心裡有一陣異樣。

她記起十多年前校園曾有過的那一場騷動，她的名字曾經和這個後無來者的校園王子扣上，刮起十級大風暴。可是風既來得急，去也去得快，他離校以後，流言就一下子完完全全消失了。後來大家談起這事，都覺得好笑，連她這個當事人也這麼覺得——他這個像是神話一般的人物，怎會一度淪落到跟她這個庶民女牽扯在一起？

她曾翻來覆去的想，除了那三天的補習之外，他們真的沒有發生過任何事。那幾天旭仔對她的態度也就一如普通同學的正常（除了準備了食物犒賞她之外），絕無流言亂傳的那種郎有情妾有意啊！

那時她就很怕旭仔覺得她是花癡，不自量力想要攀附他。

事隔多年，再見旭仔，伍月覺得他還更「進化」了。他名片上的職銜其實有嚇倒她——她覺得他是個大人物，高高在上。儘管當時她不想像個沒見識的土包子般表現出來。而且他隨身就帶備幾萬塊錢，隨隨便便就拿了出來，替不相熟的朋友還錢，一點都不在乎也不心痛似的。她以前就覺得，她和他像是處身在不同的星球上。今天她依然這麼認為。

林志旭是很友善，也很親切沒錯，今天，他就那麼面對面的跟她站在同一個地方上，對她誠懇地伸出援手。但她有種感覺，他倆腳下踩住的地面，根本就不是在同一個水平線上。她得要抬頭，才能仰望得到他，儘管，人家沒有那個擺款的意思。

第二天，伍月一早依約來到了位於尖沙嘴的旭日娛樂公司。職員引領伍月來到旭仔辦公室內。

伍月坐下，帶點緊張：「我該叫你林生嗎……」

林志旭作出一個怪模樣：「別這樣叫，毛管也豎起來了。叫我旭仔就可以。」

「這……你是我的老闆，叫旭……仔……會否不太好？」

「別婆媽啦，同事們都是這樣叫我。」林志旭露出燦爛的笑容。

眼前離她那麼近的林志旭，不但沒架子，也沒有故意裝酷（沒故意但也很酷），很平易近人似的，跟中學時期那個他，予人的感覺非常不一樣。

她把腦海中對他的印象拉出來比對，覺得他的容貌和舉止談吐都成熟了，以前的他，是少年，現在，絕對已是一個很有魅力的男人，只在表情和眼神中，她才依稀找到當年那個男生的影子。

伍月不敢盯著他直視太久，便轉移目光，甩甩頭，集中精神：「有甚麼工作要我做呢？」

旭仔隨手拿了堆文件遞給伍月：「妳就先看看這些文件，稍後替我回覆一些書信吧。我還有另外一個秘書叫 Amy，妳跟她搭檔就可以了。」

「知道。」

「現在我帶妳到妳坐的位置……」旭仔剛站起來，就突然想起一件事，又開口：「是了，阿月……」

「甚麼事？」

原來旭仔想起他那個信口開河卻又廣泛流傳的癡情故事《伍月之戀》——那當中，借用了伍月的名字。他心想：弊傢伙，千萬不可讓她們知道伍月的名字……

「你有沒有英文名呢？」

「吓，沒有啊。怎麼啦？」該死，這年代怎會有人沒英文名的，旭仔心想。

「不如，你改一個英文名字吧，叫英文名字始終普遍一點。」

「吓，不用啦，你叫我阿月不就可以了嗎。」你也不是叫人家叫你旭仔嗎？

「不，我始終認為改個英文名會好一點……你叫伍月，不如就叫 May 啦！」

「吓？May 好像很普通似的。又老土。」

「那麼……那麼……阿 Moon 啦！」

「阿 Moon……」

「就這樣説定了吧！阿 Moon、阿 Moon，讀起來蠻順口的。如果有同事問起妳的名字，記得告訴她們你叫阿 Moon，知道沒有？」

「知道了。」老闆的要求，能不答應嗎？伍月很知道定位的。

見伍月應允了，旭仔才鬆一口氣。

「是了……我坐哪裡？」

旭仔把伍月帶到大廳，拍拍手：「各位同事，這位是我的新秘書阿 Moon，這幾個月會代替放產假的 Sukie，大家要好好照顧她啊。」旭仔親自把伍月領到她的座位。

得到旭仔的「特別招待」，所有人也知道，這個阿 Moon 的身份看來殊不簡單。

伍月坐下來，才發覺跟旭仔的辦公室相隔不遠，若旭仔房間的落地玻璃窗沒拉上簾，她抬頭就可以看見旭仔。倒過來說，旭仔望出來，也一樣可以望到她。

就這樣，伍月正式開始上班。

她不久就發覺，的確有很多書信來往、業務文件要處理的，而且真的是因為剛有人放產假，所以才有職位騰空。於是這才真正的放下心來——旭仔並非可憐她，才故意開設一個職位，叫她來插科打諢的。

她望向旭仔，見他也在專注工作，認真的表情，教她一下子看呆了眼。

重逢超過一天，她這才把握機會，好好打量眼前這個長大了的林志旭。以前的校園王子，現在猶如變身娛樂帝王。

乾淨修長的手指拿著文件，眼神深邃，鼻梁高挺，嘴唇性感，嘴角還彎起來，長期帶有一絲曖昧晦澀的微笑。

伍月一瞬間走了神。

可惡，身為男人，居然長得那麼美——伍月在心裡咕嚕。

下午六時，伍月執拾一下桌面，跟 Amy 確認可以離去，便站起來打算跟旭仔說句再見就下班。正步向旭仔的辦公室時，後面傳來一陣氣場，和咯咯咯的充滿侵略感的高跟鞋響聲。

伍月回頭一望，只見一個身材高眺、光芒四射的艷妝美女迎面而來，她認得，那是最近走紅得相當快的新紮演員——笑笑！

笑笑在伍月身旁經過時，伍月竟然不由自主垂下頭，不敢與她有眼神交流。

「笑笑真人十級漂亮啊……」伍月心裡讚嘆。

笑笑走進旭仔的辦公室：「旭仔。」

「笑笑？坐吧。」旭仔望向呆在門口的伍月：「阿 Moon，有事找我？」

「不不，我想跟你說，我這就下班了。」

「妳過來，我介紹笑笑給妳認識。」

「喔……」

伍月步入房內，站在笑笑身旁。

「阿 Moon 是我新請的秘書。」旭仔望向笑笑：「這位是笑笑，妳應該認識她啦。」

「認識……當然認識……」伍月像是被點了穴道的癡漢，眼定定的望住笑笑：「妳好漂亮。」

笑笑翹起腳坐著，仰首瞄了伍月一眼，嬌媚地說了聲明顯不帶真心的「謝謝」。其實艷光四射的笑笑也不過二十出頭左右，可能跟伍月年紀差不多。因為妝容精緻，看來有點妖艷，但眉梢眼角都有一份難以形容的風情和媚態。

笑起來的時候，兩邊的嘴角下側有個梨渦，更是動人。

曾有人説，笑笑的笑，可令所有男人醉倒，只要她喜歡，隨時也可以破壞任何所謂的幸福家庭。

就連女生也給迷住了。伍月給盯得很不自在，索性伸出手來：「妳好。」

笑笑懶洋洋卻又顯得風情萬種地遞上手，伍月感到她的手好像柔軟無骨。

「笑笑，我今日跟妳有約？」旭仔打斷笑笑對伍月的打量。

笑笑望向旭仔，態度即作 180 度轉變，也教伍月第一次見識到她那殺人的武器——梨渦淺笑：「是否有事才能找你？人家想見你，想跟你吃飯，可不可以？」

「當然可以啦！」

眼下情勢似乎不宜有第三者在場，伍月機靈地説：「林生，如果沒事，我先走了。」

「都叫妳不要叫我林生！」旭仔：「阿 Moon，放工後有沒有特別事？」

「哎……沒有啊。」

「那就一起吃飯吧！」旭仔：「妳想吃甚麼？」

「啊？」

旭仔未待伍月回應，便當她答應了。伍月一時間也拿不定主意。這一幕看在笑笑眼裡，立即有所警覺。

認識旭仔以來，她從未見過他私下單獨約會下屬。這個阿 Moon，很有可疑！

「好像不太好，我去，只怕會阻礙你倆。」伍月對旭仔突然的邀約也感到很疑惑。

「不怕啊，妳剛才也聽到笑笑説沒有特別事啦。」

伍月此刻才發現，原來旭仔是個神經大條的生物。

「笑笑擺明就是想跟你單獨約會……」伍月心想。

「日本菜，OK？」旭仔望了望笑笑，又望了望伍月：「OK？」

「OK。」笑笑。

「阿Moon呢？」

「我……還是不去好了。」

「為甚麼不去啊？妳又不是有特別事，放心啦，如果太晚，我送妳回家。」

「一起去吧。」笑笑自信地望向伍月，好像也想看看這個小妮子有甚麼能耐。

「那……好吧。」老闆和大明星開口叫到，很難推辭。

一個是校園super star（雖然已是陳年舊事），一個是當紅明星，男神女神的配搭，可謂星光熠熠。

坐在日本餐廳的包廂內，眼前的兩道風景雖然秀色可餐，但伍月卻表現得很拘謹。她搞不清楚，自己為何會坐在這裡，與這兩個格格不入的人同桌共食。還有，她偷偷瞥過餐牌，這裡的價位很高，是高級料理啊！她知道這餐不會要她付款，但她覺得非常不好意思，要人家破費請客，雖然，她是被強逼拉來當陪客的。

明星也是人一個罷了——伍月這樣跟自己說，但今天這個飯局，她還是覺得真的很不真實。

是不是繼續待在林志旭身邊，就會有這麼多「離地」的事情發生呢？她覺得自己像踩在雲朵上，是很夢幻沒錯，但她並不喜歡這感覺——因為太不自在了。

飯局期間，伍月留意到笑笑不時把身體挨近旭仔，明眼人也看得出，笑笑是對旭仔有意思。

但旭仔好像沒為意，不斷主動跟伍月說話。

相比起以前，旭仔說話多了，也親切不少，但在這兩股巨大氣場壓得她喘不過氣的情景下，伍月還是感到非常緊張，於是旭仔問些甚麼，她就答些甚麼，一句起兩句止，是這晚的話題終結者。

「阿Moon，妳讀哪間大學？甚麼學系畢業？」

「X大的傳播學系，主修電影電視。」伍月有些彆扭的撥弄頭髮，不想講她跟他其實是行家，才從一間不獲發牌的電視台遣散下來。旭仔認得這個小動作，每當她緊張或尷尬時，就習慣這樣做。好懷念啊，伍月還是沒變過。旭仔心想。

「啊！那麼巧，那妳就非常適合在我公司工作了！」

「喔，旭仔，你連人家讀甚麼學系、之前做過甚麼都不知道，就請她當秘書……」笑笑煞有介事的望著伍月：「我想阿 Moon 一定有甚麼個人之處……」笑笑皮笑肉不笑的盯了伍月一眼，說得意有所指的，令伍月相當尷尬。

伍月以為笑笑暗示她攀關係、走後門，立即漲紅了臉。她不懂反駁，實際上，她也無從反駁——如果旭仔不是她的舊同學，會替她還債，還給她工作機會嗎？

「公司那麼多人，我又怎會每一個也知道他的履歷呢。」旭仔淡然一笑，替伍月解圍。

「也是的……但我覺得你特別照顧她。」

「妳太多疑了，我對個個也差不多啦。」

「差不多嗎……」笑笑明知道旭仔故意說得輕描淡寫，但對她而言，只是一種欲蓋彌彰。但她斷不會在此窮追猛打。她這種人精，在道上打滾，觀人於微。整餐晚飯，她已經得出結論：林志旭喜歡這個不怎麼樣的、平平無奇的小女生！但這個清純的綠茶婊，似乎蠢得並無察覺！

飯後，旭仔先載笑笑回家，再送伍月。

「這個笑笑，又是她主動約我們吃飯，整晚卻板著臉。」旭仔扭動方向盤：「剛才道謝也沒一句就下車，明星架子和脾氣都很大。」

伍月輕輕說：「她不是脾氣大……她在惱你。」

「我知道。」

「她不喜歡你先送走她，更加不喜歡你讓我……坐在副駕駛座……」伍月說完，無故就面紅了。

「我也知道。」

「那麼你為何還先送她？為甚麼不讓她坐到你旁邊？」

「你的問題真奇怪。」

伍月不出聲。

「明明先送她回去是順路，難道要我先兜你回去再送她……我又沒打算跟她有下場。至於笑笑喜不喜歡，我很難控制，也不是需要考慮的事。除了工作，我跟她沒有任何關係。沒理由因為她不喜歡而左右我用人的決定。我讓你坐在我旁邊，就是不想說得太白，讓大家難下台，而用這種方法向她暗示。」其實更重要，是要向伍月暗示他倆並無特殊關係才對！

原來如此……伍月想，或者今晚把她一併拉來當飯局陪客，也就是這個意思。

可是，笑笑很美，和他併在一起，也旗鼓相當，郎才女貌呢！伍月心想。但似乎林志旭對這種類型的美女並不感冒。

伍月覺得旭仔有點厲害。還未滿三十歲的他，已在管理一間那麼有規模的公司。除了日常工作事務，還要對外交際，應付的不是普通人等，而是像笑笑那種有棱有角的明星啊。

在車廂密封而細小的空間內，伍月又再偷望了旭仔好幾眼，發覺他不但帥，更少了當年的稚氣，添了一份成熟穩重。忽然對他生出很大的興趣，很想對他有多點了解和認識。

旭仔捕捉到她的眼神：「幹嗎偷望我？」

伍月臉紅起來：「我……我沒有啊！」

「哈哈，跟妳說笑吧了。」心裡卻樂得很。

「……」

旭仔突然問：「妳在想甚麼？」

伍月一時語塞：「沒有……沒有想甚麼。」其實她正在想：以前的林志旭總是高高在上，看不起我似的，現在的他卻很平易近人，更不似一個暴力的色情狂。

「我卻在想，想不到能夠再遇上妳，還成為了同事。」

「不是同事，是老闆和員工啊。」

「有需要分得那麼清楚嗎？」

「事實嘛，我是月底領薪水的……雖然要扣還欠債……」

旭仔嘆了口氣：「伍月，朋友嘛，不用經常提著欠債的事的……這樣，反而會顯得我小家子氣的，你明白嗎？」

伍月慌忙答：「不好意思，我不提就是了。」

旭仔轉話題：「是了，妳之前做甚麼工作的？」

「唔……電視台編劇……在……開不了台那家。」

「哦，那麼在我公司上班也不算轉行，妳不如就繼續在我公司上班吧。」

「吓……我今日才第一天上班，說不定我做得不好，你就開除了我呢？」

「不會發生啦。」

「謝謝你……但其實我自己也還沒決定是不是要轉行。不過如果可以選擇的話，我想我還是比較喜歡做電影或電視的幕後工作，像編劇、製作或者宣傳崗位。秘書嘛，不是我最擅長，也不是我想做的事。但既然你的秘書正在放產假，我這幾個月又還沒有新工作，就真的剛剛好，當讓我做替工吧，我也掙多點時間考慮清楚。對了，怎麼你有這麼多問題的？現在倒像在面試似的。可是你已經請我了，不准反悔啊。」伍月嘗試放鬆一點，調皮地說。而其實，這個才是她真實的一面。

旭仔並沒看過伍月這古靈精怪的一面，他覺得她實在可愛得緊。

以前他所喜歡的伍月，一直是他想像的伍月。真實相處下來，雖然她並非跟他想像的百分百一樣，但他依然很喜歡，感覺對極了。太對了。

伍月又笑了笑：「面試官，還有其他問題嗎？」

「當然有啊……」妳那個男朋友呢？妳們還有在一起嗎？旭仔很想問。但他不想破壞此刻的氣氛。

他想了想，再開口：「你很喜歡星星圖案的嗎？看你的袋子印了好多星星啊。」他以前就知道伍月喜歡星星了。

「那個……怎麼說好呢，是因為我的救命恩人吧。」

「救命恩人？」

「對，我在小學六年級時，曾經試過溺水，差點要死了。幸好有人把我救起。我看不到他的臉，只看到那人穿星星泳褲……自此，我就很喜歡星星圖案的東西……很可笑吧？」

「原來如此。」

「你問了我那麼多，輪到我問你可以嗎？」

「可以呀，不過留待明天吧，因為差不多到妳家了。」

「好啦，那明天到我問你囉。」

「我們輪流，一人問一天，好不好？」

「嗯。」

雖然只是一個小小的約定，但旭仔覺得心中暖暖的。

昨天，他們重逢，約好今天再會，伍月真的來了；今天，跟伍月又能約好明天要做的事，感覺很奇妙。

而伍月笑了，這一下她覺得，旭仔其實也許不是真的那麼老練穩重，反倒有非常孩子氣的一面。

她幾乎已經可以肯定，旭仔不會是暴力色情狂，但他真實的一面究竟是怎樣的？他是酷酷的紈絝子弟嗎？是叱吒娛樂圈的貴氣哥兒？還是保有孩子氣的親切帥哥？

伍月很有興趣知道。

「到了。」旭仔突然俯過身來，替她按下安全帶的扣子，並替她推開車門。

「呃……謝謝你。」距離那麼近，旭仔帥氣的臉就在她面前不到十厘米，伍月的臉嚇得又一次漲紅。

旭仔這才醒覺自己的動作實在非常唐突。是出於不由自主的情不自禁，不知不覺就使出了以往追求女生時讓她們瞬間迷惑的手段。但他總算還保留半分理智，不然就朝粉嫩的嘴唇直接吻下去了。

「明天見。」他裝作沒事人，鎮定的坐直身子，回到駕駛座。

伍月嗖一聲的下了車，關上車門，向他揮揮手就轉身離去。

待伍月走後，旭仔踩下油門，緩緩駛走。他依依不捨瞥向倒後鏡，看著身影消失，然後心情愉快的哼起歌來。

明天，後天，大後天，大大後天……旭仔和伍月的故事，才剛開始呢。

3.3

第二天大清早，旭仔踏著小碎步、吹著輕快口哨回到辦公室。經過伍月的座位，他放下一排果汁軟糖在她案頭。沖了咖啡、播著音樂，望向窗外的維多利亞海港，他的心情相當愉悅。

很有規律地，平日盡可能他都會一早起床，做一陣子運動，然後就回公司，讓一早異常清醒的頭腦，先處理一會事務，亦有利思考。中午開始，員工陸續上班，就是一連串的大小會議，也有很多公司內外的查詢或應酬，能靜下來的時間不會太多。

正當旭仔享受著這個寧靜時刻，有人卻大模斯樣、婀娜多姿地步進他的房間。

「旭仔。」

旭仔抬頭一看，來的又是笑笑。

「笑笑，又是妳。甚麼事令妳這麼早爬起床來找我……」

笑笑坐下，點起一支香煙，順手把香煙也遞給旭仔。旭仔搖頭：「不要了，忘了我早就戒掉了嗎？而且，無煙辦公室啊，懂不懂？妳也不要吸太多吧，對形象不好。」

笑笑徐徐噴出煙圈，朱唇輕啟：「昨天把我送走後，你去了哪裡？」

「一早來就是問這個？」

「答我。」

「送完你就送阿 Moon，然後我就回家了。」

「怎麼不回我短訊？」

「那時正在駕駛，回家後又忘了回覆。」

「聽說你曾經試過只消八分鐘就從尖沙嘴去到銅鑼灣，昨晚你在灣仔放下我，然後去大坑，應該不用五分鐘吧？」笑笑眼神盡是懷疑：「我的短訊是在下車後十分鐘傳出去的，怎麼你還在駕駛？」

「八分鐘？你把我想得太神了。」旭仔一點也不想回答她後面的質問。

笑笑斜睨著旭仔：「你死口不認，我也沒你法子，不過有些事能瞞過別人卻瞞不了我。」語帶相關的。

旭仔皺了皺眉：「你想說甚麼啊？」

「昨日那個阿 Moon，是甚麼來頭？」

「下屬兼朋友。」

「甚麼朋友?」

「普通朋友。」

「就只是朋友那麼簡單?」

「那妳覺得還有甚麼?」

「我跟你認識了三年,喜歡你足足三年,也留意了你三年,一眼就看出,你看阿Moon的眼神,和別人明顯不同。」

「就算我喜歡她,又關妳甚麼事?」

「那你是承認喜歡她了?伍月呢?你不是一直也在等待伍月的嗎?為甚麼會走了個阿Moon出來?」

旭仔一時間不知該如何回答。

「我一直這麼喜歡你,但因為知道你內心有個任何人也不能代替的女人,才甘心退守一旁的。如今卻走了個阿Moon出來,算是甚麼意思?」

旭仔沉吟:「很多事情並非三言兩語就能解釋清楚,況且,這是我的私事,妳又不是我甚麼人,你無必要過問我的私生活吧?」

笑笑一窒,臉上的神經線跳了跳:「沒錯,我的確無權過問,在你眼中,我只是一頭野貓罷了。喜歡就來摸摸我,不喜歡就把我踢開一邊。」

「妳說到哪裡？我從沒當妳是隻野貓，況且，我根本就沒摸過妳。」
笑笑提高聲線和音調：「不當我野貓，那你當我是甚麼？」
「朋友。」旭仔想也不想就答。
笑笑幽幽地說：「你知我一直喜歡你，為何你不接受我？」
「妳喜歡我並不代表我要接受你。感情這回事，勉強不來，妳明不明白？」
笑笑無言，淚水卻已落下。
旭仔最怕看到女生哭，他的殺手冷臉再也裝不住，手忙腳亂的遞上紙巾。
「不要哭了。」
笑笑哭得更厲害。
「我這麼喜歡你，為何你不可以嘗試跟我一起？」都說了，你喜歡人家，人家不一定要回應啊！
「我從沒聽說過阿 Moon 這一個人，她卻突然出現……我不甘心，真的很不甘心。」
論樣貌論身材，笑笑的確勝過伍月，不甘心也是合情合理的必然之事。
旭仔嘆口氣，他知道如果不解決這件事，笑笑一定會死纏不休。
所以，他決定向笑笑說一個謊言。
一個說起來不知該算不算是謊言的「真實謊言」。
他站起來把門關上，把窗簾落下，望著笑笑，一字一字吐出：「你給我聽清楚，阿

Moon 就是伍月。」

笑笑愕然：「她是伍月？」

旭仔繼續說：「她就是我喜歡的伍月，她回來了。我再也不會讓她離開的了。」說來甜絲絲的。

笑笑沒見過這模樣的旭仔，她立即知道，他沒說謊。

笑笑以往一直想像，伍月是一個與別不同、很有氣質的女人，料不到她竟是如此平凡，內心有點不能置信。

可是卻意外地有點釋懷——如果旭仔喜歡的是個絕色大美人，或許會令他那癡心長情的形象變得膚淺。

笑笑嘟囔：「原來伍月的模樣是這樣的，你的品味頗特別，真是情人眼裡出西施。」

「喂！怎麼把她說得這麼不堪！笑笑，這真相現在只有妳知道，請妳替我保守秘密，因為我不想讓其他人知道她就是伍月。這樣會給她很大壓力。」

「那麼寵她啊，得了，我明白的。」笑笑苦笑：「那……我們還可以做朋友嗎？」

「為甚麼不可以？」

旭仔認為，笑笑這個提問相當奇怪，他們之間甚麼事也沒發生過，又不是情侶分手，當然可以繼續做朋友。

「那，現在陪我去吃早餐可以嗎？」

「走吧。」旭仔笑說。

打開門，才看到原來伍月已經上班，坐在座位上了。

旭仔房間的門很厚重，隔音很好，剛才裡面的談話那麼旖旎，卻沒有流出。成了話題主角的當事人蒙在鼓裡，懵然不知，反而正看著枱頭上的一排軟糖在不明所以當中。

伍月跟步出的笑笑又打了一個照臉。今天的笑笑，淡掃娥眉，比起昨天的濃妝還要討好。完美的美人胚子臉，配合吹彈可破的雪白肌膚，絕對是壓倒性的艷壓全場。

伍月禁不住的打從心裡讚嘆。

再想想自己，真是平凡得可以的乾癟女生啊！

真的好漂亮，伍月又一次看得呆住了。對住伍月這個傻氣的模樣，笑笑突然覺得，對她好像妒忌不來。

她把臉趨近伍月，吹氣勝蘭：「妳真好運，要對他好一點啊！」說完就故意回頭翹著旭仔的手，拉他離開：「快點啦，我肚子餓了。」表現親暱，有點惡作劇的意思。

伍月僵立住，不明所以，大概是叮囑她要對林志旭好一點？但這刻的她只想到：林志旭身邊總是穿梭著不同的美人兒，一定會覺得我是醜八怪了。

伍月不是想要這樣胡思亂想，卻又不期然比較起來。

人比人，比死人，她唯有摔摔頭。

這些傻瓜般的表情，都看在走在後面的旭仔眼裡。他經過伍月身邊時，說了句「早晨，我跟笑笑出去一會」，然後指著桌上的軟糖，打個眼色，便離開了辦公室。

「原來是旭仔給我的……可是，他怎會知道我喜歡吃軟糖？」伍月又多了一個疑問。

無驚無險，又到了下班時間。旭仔不在房間，伍月跟Amy交代一聲就離去。只是才剛步出大門，就被旭仔叫住。

「阿Moon，怎麼不等我？」

「吓？還有事要做嗎？」

「昨天不是跟你約好了嘛？」

「約好？」

「你忘了？我們約好輪流問對方問題嘛！」

伍月一愕，想不到旭仔會記得這隨口說說的「約定」。

「走吧，反正我有點餓，和我一起去吃晚飯好嗎？」

「哎呀……呀……」又要跟他吃飯嗎？還要是單獨相處？好大壓力啊。

「妳有約？」

「不是……」

「那等等我，我執拾一點東西就可以了。」

「哦。」伍月只好點頭。

來到餐廳，點了食物，旭仔就說：「輪到你了，你有甚麼問題要問我？」

伍月其實並沒真的想過要問他甚麼，也不知從何問起，她以前跟他不熟，現在又是他的下屬，問太私人的問題好像會有點不妥。

「來吧，甚麼問題也可以。」但旭仔好像蠻期待的。

「那，你每天上班都在忙些甚麼呢？」

「這個嘛……」怎不問我喜歡甚麼女生啊：「其實主要都是開會，跟不同部門討論、做決策，很沉悶的。有戲開拍時，偶爾也會去片場走一圈；有時也會處理一下旗下藝人的事務，哈，有些小明星，才出了一、兩張唱片，或拍了一、兩部電影就當自己是荷里活巨星，很難服侍的……」

「嗯……」伍月想問哪個藝人最難服侍，不過不想表露得太過八卦，所以硬生生把問題吞下去。

「你很喜歡做電影工作？」

「怎麼說呢……八、九十年代是香港電影的全盛時期，平均每年上映超過一百部，我記得最多的那年是 1993 年，共有二百三十四部；但近十年，只能夠維持大約五、六十部左右。好像去年 2013 年，比前年更一下子少了十部，只有四十三部，當中純港產片十九部，其他的都是中港合拍片。置身其中，我是很希望能夠出一分力，可以令香港電影重新蓬勃起來……對了，差點忘了妳也是讀電影的，這些數字和情況，相信妳也很清楚吧！」

「雖然去年量是少了，質素上卻是小陽春呢，《激戰》、《狂舞派》，還有《殭屍》都是很好的電影……看完令人……好感動。」

「是呀，所以今屆金像獎投票時，真的很難取捨、很頭痛……」

「看到張家輝拿獎那刻，我在電視機前尖叫了出來！」說起這些，伍月的拘謹漸漸退去，不知不覺間，兩人談笑甚歡。

「妳……真的很喜歡看戲呢……」旭仔不禁想起那年聖誕，在戲院碰見她跟男生拍拖看電影，他按捺不住想要探問：「其實，很久之前……我曾經在戲院碰見過妳……」

「哦，是嗎？甚麼時候的事？」

「2004年12月25日。」旭仔記得好清楚。「周星馳的《功夫》，銅鑼灣的戲院。」

伍月當然記得，那一天是她的生日，而且是第一次跟男朋友慶祝度過的生日。

思緒飄到老遠，才想起，原來已是差不多十年前的事了。

十年。是一段不短的日子。那一天，有個男生，曾對她許下十年之約。他說：「十年之後，我會向妳求婚，迎娶妳。」現在回想，是個非常幼稚、有點可笑，卻又青澀甜美的約定。

見伍月沒有回答，旭仔的心提了一下：「那個男生，是妳男朋友？」死就死吧，知道總比不知道好，敵方軍情是要刺探一下的。就算她有男朋友，只要一天還未成為別人的妻子，他還是有機會的，旭仔暗下決定。

「他啊……這個人，我已經很多年沒有見過了。讓我想想……有七年了吧！」聽見這話，旭仔心內的彩帶鞭炮，立即肆無忌憚大暴放大爆發！

「那……妳現在有拍拖嗎？」三壘起跑！

「呃，沒有。」回壘得分！

「哈哈，那就好……」旭仔笑得得意忘形，胡亂解釋：「沒拍拖，工作一定更上心。」

「有那麼好笑嗎？你笑得……」

「笑得怎樣呀？」伍月想說，旭仔笑得有點太過，有點幸災樂禍似的。她想不明白，他為甚麼知道她沒男朋友就會顯得那麼高興？原本就只有一個解釋——他喜歡她！但她下一秒就為自己這個想法感到羞愧。別犯花癡啦，她不敢想下去。

「你笑得……好有陽光檸檬茶的感覺。」所以伍月只好隨便胡混過去便算。

「妳想說我像伊健嗎？其實有很多人也這樣說過啊。」不期然想起他十多年前校園王子的舉止。這人沒變過，伍月如是想。

伍月故意作狀作嘔，反白眼。

「中學時……你真的是萬人迷呢……你記不記得，我差點被你害死？」大概因為提到往事，伍月也懷舊起來，話當年。

旭仔好像忽然想通了一直糾結在心頭的結：「所以，那時你突然不替我補習，還有避開我……不是因為討厭我？是因為怕人家閒話？」

「討厭你？一開始好像是有一點啦……」伍月打哈哈，她隱約記起當年對旭仔的誤解：「不過，實情是跟你扯在一起，實在太恐怖了。我差點給全校的女生殺死！」伍月調皮地眨眼。

「你怕死，所以就犧牲我的學業了？」旭仔裝作可憐兮兮。

伍月看著帥哥扁嘴，無法壓抑自己居然會覺得眼前這個高大帥氣的男生好可愛，竟不由自由伸手拍了拍他的頭，算是安慰他一下：「別誇張啦，反正這點小事你也不會記在心上吧。」

「喂，我又不是小狗，男人的頭怎可以給妳隨便拍的！」旭仔繼續在裝可愛，笑起來有點靦覥。事實上，旭仔樂在其中，對這種身體接觸的親暱感，非常受落。

伍月忙把手縮回來，一時間也覺得自己似乎有點逾越，只能吐吐舌頭，傻笑一下。卻不知道，她這個得意的表情，在旭仔眼中的可愛度，也是直衝十級，快要「爆燈」！

空氣流動，曖昧的甜味正在他倆之間發酵。要說伍月完全不察覺，那就是騙人的。

但她不敢確定，那是否她單方面的幻覺。即使不是……那，更大的煩惱就來了……

3.4

表面上無風無浪，過了兩個多星期。

伍月和旭仔，成為了上司下屬和老同學以外的，比普通朋友親密、曖昧階段的朋友。旭仔有在周末邀約伍月外遊，但目前為止，伍月都婉拒了，她跟他解釋，手頭上還有很多外稿工作還要趕工，所以沒時間去玩；連一起晚飯也少之又少。

旭仔也並不著急表白——都等待了那麼多年了，他也不急在一時，只要伍月在自己眼底裡視線範圍內，一直待在自己身邊，幸福的時刻多的是。

譬如說，有時候，伍月會讓他載她回家，在那十多分鐘的車程裡，他們變得無所不談。旭仔最喜歡聽的一句話，是每次伍月下車時跟他說的那句：「明天見。」

又譬如說，今個星期，秘書 Amy 放大假，伍月要加班工作，前天就忙到深夜。他也正好忙著，便著她待他做完手頭上工作才送她回去。伍月就在等待期間，靠在梳化上打起瞌睡來。到旭仔忙完，他卻不忍叫醒她，反倒蹲下身子，癡癡看著她的睡相好久。由於伍月兩邊長髮垂下掩蓋著臉，他禁不住為她編了兩條孖辮。「可愛的傢伙。」他在心底默念。然後，他又就這樣多看了十五分鐘，才把她喚醒。而在這之前，他要幾經辛苦，才能壓下想要偷親她的衝動。伍月睡眼惺忪的醒過來，發現了，就問：「是你為我編起辮子來嗎？搞甚麼鬼？」旭仔但笑不語，癡迷於她羞靨的樣子。

又譬如說，他們甚至還結伴去看了這一年的五月天《Just Rock It!!!》演唱會。旭仔找來靚飛位置，逗得伍月開心了足足一個星期，不停喚他「恩公」來鬧著玩。旭仔確定，他鍾愛「真實」的伍月。以往，見不著面，他掛念她。現在，即使她就站在他面前，他卻依然會想她，覺得心疼。這不是愛是甚麼？

而另一邊廂的伍月，卻是暗地裡默默翻滾著。既愉悅，卻又惶惶然不安終日。

其實從那晚的飯局開始，伍月內心，就彷彿有些想法在萌芽。

她的女性直覺告訴她，這個天之驕子，似乎對她有點好感；是甚麼時候開始？她不曉得，也不敢深入細想。

她因此特別留意他的舉動，肯定的是，他已不如當年般對她總是酷酷的不屑一顧，反倒每次見著她就笑逐顏開的，親切得很。但是，他對別人，諸如其他女同事也一般很友愛啊，會不會只是「發電機」制式全天候開啟沒關而已？她會懷疑。像五月天的票，也不單止她有啊，其他拜託他的同事也得到好位置啊！

好了，即使假設，就假設啊——旭仔真的心儀自己，她又該如何反應？她也一樣，鍾情於他嗎？他條件是很好沒錯，但，卻有點太超過了……

長久以來她對他的想法都是同樣的四個字：高不可攀。

這種難以跨越的距離感，已然植根。

好像有天她跟他走在街上，她居然聽到旁邊兩個女生在竊竊私語（卻絲毫沒壓低嗓子，完全不在乎她有聽到）——

甲女子：嘩，有沒有看到？高質花美男呀——

乙女子：但，妳看看旁邊，那女的是他女朋友？有沒有搞錯啊？

甲女子：不管啦，搭訕試試看吧——

伍月嚇得退後幾步。同時心想：這種人若真的成為男友，一定得每天提心吊膽他會被人搶走。

她卻不知道，旭仔聽到人家誤會伍月是他女朋友，正在暗爽中呢。

又好像有一天放工，他興致來了，猛說要跟她一起去搭地鐵，說是許久沒有乘搭交通工具。

站在金鐘的月台等待轉車時，伍月真的覺得他跟這裡格格不入。

「如果早半個小時會比現在更恐怖呢！」伍月對旭仔說。

「哦，比這時候還要擠嗎？」真是不食人間煙火的人啊，伍月心想。

「繁忙時間，大概擠上三、四倍吧，每次我都會覺得好慘烈。四方八面的人擠擁過來，覺得臉都會壓到變形。」

「聽來好辛苦。」

「是呀，我試過全程車雙腳好像沒著過地。到下車，整個人都好像被壓扁了。」

「真的啊？」這時，車廂忽然搖晃，旭仔立刻伸手扶她，把她按在自己的胸前。「妳誇張了吧？」

「是誇張了一點。但有時真的要等幾班車才擠得上去呢。這時就會感到很無奈，所以我暗暗下了決定，不打朝九晚五的工，就是為了不想每日擠車。這是一個你所不知道的現實世界的狀況吧！」

真是來自不同星球上的人，伍月三番四次這樣下結論。

自尊心強的人，其實揭開底裡窺看，也總是存在著自卑。不容否認，伍月的保護罩正悄悄展開。

而就在提到她的初戀男朋友的那晚，她也夢到了久違的溫樂景。

「十年後，當你看完這十封信後，我就會向妳求婚！」從夢中醒過來，這句話在漆黑的房間中回盪，她驀然想起，自己真的好久好久沒有記起這個人了。

她拉開抽屜，找出當年男孩送她的那枚戒指，是的，不知何故，她一直沒有丟掉。握在手裡，她甚至記得那人說過：「妳一定要好好保管，十年之後，妳可憑此跟我換取一隻真正的——鑽石指環。」曾經，她會為此感到刺痛；但現在，她只覺得那是當年兩小無猜的稚氣承諾，雖然最終沒守諾，但有過這麼一段，也還是很令人懷念的。她甚至還拿出那十封信來看，最後的一封，本應到這年底才到期打開，但她還是提早開啟看過了。他這樣寫道：「恭喜妳！2014年這一刻，相信妳已經是溫太了！想到了要去哪裡度蜜月沒有呢？我從小就決定要環遊世界一遍，妳要陪我逐個逐個國家去啊！」都是些沒有兌現的願景和想像，但伍月覺得終於可以釋懷的笑——原來所有傷口，時間都會替它癒合起來，變得不痛不癢。

然而初戀的失敗，卻的確讓她對感情更加防範和慎重。她不想自己率先陷入，更害怕傷心，所以這階段她只有靜觀其變，裝作甚麼都沒有發生——起碼，她並沒有喜歡上林志旭，就不會自討沒趣。她認為。

這個世界有所謂「吸引力法則」，若提起一個人，他有時真的就會出現在眼前。中國諺語，也有句：一說曹操，曹操便到。

會不會是旭仔和伍月的思想磁場惹來故人？

這一晚，旭仔約了一班男人在中環某個「私人會所」談生意。那種夜場，有酒吧、卡拉OK、舞池，也有陪坐陪玩陪飲陪跳舞的公關小姐，是玩家的聚腳地，品流複雜。

旭仔本來就沒打算帶伍月來，但是伍月聽他提起這地方卻十分好奇，說她正在編寫的劇本有提及這種地方，正好取材，故嚷著要跟他前往見識。

伍月提出要求，旭仔自然抗拒不了。

但如果他知道之後所發生的事情，旭仔絕對不會容許伍月在這裡出現。

坐在酒色財氣夾雜的會所套房內，伍月的確眼界大開。

男人們（公子哥兒、富二代、bankers、生意人、金融界人物，甚麼也有）個個公然攬著身邊佳人，上下其手，隨隨便便就濕吻起來。

伍月不是完全沒見過世面的純情女生，但如此近距離現場直擊觀摩，也不禁有點難為情，臉紅了、心跳加速，不禁想：如果她不在場，旭仔也會跟他們一樣嗎？

不會……吧？

伍月望向旭仔，看到他正在跟他年長的人在說話，談笑用兵，表現悠然自得。而躋身在這些龍蛇混雜、肚滿腸肥的人群中，他更顯得鶴立雞群，氣度不凡。

又再一次確定，這個男人，只能遠觀，不能放在觸手可及的掌心。

伍月嘆口氣。房間的空氣太混濁，她要出外透透氣。

她去了趟洗手間，步出門時，卻給她看見一個熟悉的身影。

一個她想不到會再重遇的人。

溫樂景。他在洗手間的走廊經過。

二人四目交投，伍月與阿樂都同時認出對方，也同一時間愣住了。

七年多不見了，阿樂的打扮和樣子，明顯比以前成熟。

冷不防的重遇，教伍月不知如何反應，她只管呆呆的站著，盯著他看。

溫樂景也沒想到，會在此時此境遇見伍月。

有時，很多事情的確巧合得有點荒謬。

在阿樂眼中，伍月也長大了，人也比以前出落得更漂亮，但觀乎她這一身打扮，又不似當公關小姐，也不似是來尋樂的蒲精。

阿樂料想，她應該跟自己一樣，是工作關係才來這裡。

阿樂想開口說些甚麼，伍月卻首先收回視線，在他身邊經過，急步跑回房內。

兩個本來感情要好的人，再見時卻成了陌路。

回到房內，伍月還未能回神，渾身不自在，惶惑不安。

旭仔一眼就發現她有不妥。她這副好像見鬼的樣子，要旭仔不發覺，真的很難。

「妳沒事吧？」

「沒事啊。」

睜大眼說謊！旭仔一眼便看出，伍月一定有事。只是她不想說，旭仔也不會立即追問。

「妳感到不適嗎？我送妳回家好嗎？」

「不不不，我搭的士走就可以了……對不起，你正在談生意，不能說走便走的。你們繼續吧，我自己回去可以了。」

「妳……不能等我一下？」

「不好意思，我剛剛醒起來，有份稿我忘了傳送出去，對方很趕的，我一定要先回去。不打緊的，我搭的士回去，很方便。」

「那……好吧，回去致電給我吧。」旭仔拗她不過，又真的一時三刻走不開，就在疑慮下讓她離開。

「嗯嗯。」

伍月慌失失的走出夜場，當她乘電梯到樓下時，卻發現阿樂正站在大堂，他似乎在等她。

一臉窘態的伍月，感到很不自在。

反倒是阿樂，裝作很自然，他有型地笑了笑：「很久不見。」

很久不見——又是這一句開場白。

伍月沒答腔。

阿樂卻此地無銀的逕自解釋起來：「今天跟一班台灣人來談生意，想不到會碰著妳。」

通常男人到這種尋花問柳的地方，都以談生意作為藉口。

「妳跟朋友來？」

伍月搖搖頭：「不，是老闆。」

「妳比從前漂亮了很多。」

伍月漲紅了臉，沒有回答。怎麼阿樂的說話方式，比從前還要直接？卻更顯輕浮了。

「我送妳回家。」

伍月想也不想：「不用了。」

阿樂抓住伍月雙肩：「妳還惱我？」

雖然已經很多年了，但他這樣一問，伍月心裡的答案還是肯定的：是，她還是有點惱他的。但要面子的她輕輕的說：「我沒惱你，請你放手。」

一瞬間，她彷若觸碰到過去那段美好的時光。

但畢竟都已經過去了。

「可否給我一點時間，讓我解釋當年在台灣的事？」

「不需解釋，我早已沒事了。」

「那麼，我們還是朋友嗎？可以坐下來談談？」

伍月覺得啼笑皆非：「還有甚麼好談的？是不是朋友，還有甚麼意義？」

伍月的反問，卻教阿樂把伍月抓得更緊：「妳還說沒惱我？」

伍月用力，想掙開阿樂：「就當我惱你好了。但我們的確是完了。早在你七年前在台灣丟下我的那一刻，我們早就完了。還有甚麼好談的？」

「為何你不可以聽聽我的解釋？」

伍月根本就不想再回答，此時，阿樂身後響起一把聲音：「放開她。」

阿樂回頭，看見一個比他更高大的人走過來。似乎是一個大人物，阿樂不由自主就放開了伍月。

不問而知，來的不是旭仔還會是誰？

旭仔認得眼前這個男子。他總共見過他兩次，第一次在戲院，第二次在台灣的九份。他一直是他的假想情敵。

旭仔把伍月拉近自己身邊，護在她的身旁，明知故問的：「這人誰啊？」

伍月心想，怎麼這場面好像發生過？對了，兩個多星期前，旭仔也是這樣把她從大東處拯救過來。這是旭仔第二次為她出頭了。

阿樂問：「你是誰？」

旭仔沒回答，掏出名片給他。

「旭日娛樂　行政總裁？真是年輕有為。」阿樂看了一看名片，直視旭仔，禮貌地伸出手：「我叫溫樂景。」

「名片上有我全名，你可以叫我旭仔。」

二人握了手，望著對方，彷彿預視到，往後的日子，雙方仍有交手的機會。

「阿月，我再找妳。」阿樂：「妳電話沒變？」

「……」伍月不想答他。

溫樂景拿出電話，尋找她的電話號碼，撥打起來，直至電話鈴聲響起。

「妳也有我的電話號碼了。我這一陣子在香港，遲點才回台灣，過幾天再找妳。」

「如果沒有特別事，你不用找我了。」真煩，她心想：我倆已經結束了，還有甚麼好見呢？

伍月的決絕，叫阿樂有點始料未及，但想深一層，又是合乎情理，也合乎伍月的人物性格的。當年二人的關係，就這樣戛然而止，難道她會對自己和顏悅色，來個久別重逢大擁抱嗎？

最後，阿樂笑了笑，跟伍月說了再見就走了。

伍月的心還在劇跳，剛才只是裝作鎮定。

她一度以為，自己已經完全放下了阿樂。但再見到他，還是會不由自主緊張起來。

這表示，伍月的心還留有阿樂的位置？

伍月訝異，旭仔擔憂。

伍月剛才離開會所時的異樣，教旭仔坐立不安，所以就匆忙結束會談，跑下來想要送伍月回家。卻料不到，看見這樣的一幕。

車廂內，伍月一直沒有主動說話，旭仔看得出她的神不守舍。

「他就是妳的前男友？」

「嗯。」

「上次妳說，妳們分手了七年？」

「嗯。」想用單音節打發我？旭仔心想。他本來想追問她為甚麼會分手，更想問她現在是怎樣想的？那人若要求復合，她會給他機會嗎？但又不想逼得她太緊，怕有反效果。所以他也頓住，沒作聲，在考慮下一步怎做才好。

一段沉默後，車子到了伍月家樓下。

「謝謝你送我回家。」

「我送妳上樓吧。」旭仔步出車廂，因為他想起，他每次只把她送到樓下，卻從來沒有送過她上樓，此時此刻，他想要一點進展。

「吓，不用啦，我自己上去就可以了。」伍月不願被母親看到旭仔，她一定會誤會的。刻下心已經夠亂，她不想添麻煩。

旭仔被拒絕，只能目送伍月離去，才走回車上。

一下子，很多胡思亂想襲來，教他伏在駕駛盤上，一時三刻開動不了車子。

從綜合消息和剛才的一幕看來，他認為他倆雖然分了手，而且久沒聯絡，但似乎雙方還是有些剪不斷的情意？

看伍月剛才的反應，她對這男人，絕非一點感覺也沒有的……是還未忘情嗎？如果這個人重新在她的世界出現，伍月會偏向他嗎？

旭仔有點慌。

莫非由始至終，他都不是伍月愛情故事裡的男主角嗎？

不，不，不，即使那是神明的安排，他都不准許啊！他才不要把伍月讓給那個想吃回頭草的笨蛋！

他決定要早一點行動，把伍月追到手，收歸己有。

3.5

「妳昨晚沒有睡嗎？」第二朝一早，旭仔一看見伍月的黑眼圈和倦容，心就抽緊了一下。為著那個初戀情人，所以整晚輾轉反側嗎？

「不好意思，有個外稿真的很趕，所以就漏夜趕工；今早睡了兩個小時才過來的。黑眼圈很明顯嗎？」伍月故作輕鬆地說。

真的是為了兼職工作而通宵？一半半吧。其實伍月昨晚每隔一陣子就看手機，一直不能集中精神。她在看，阿樂有沒有傳短訊給她。

伍月承認，重遇這個人，還是讓她有所觸動。

她一直都耿耿於懷，當年阿樂為何會對她突然冷淡起來？明明他們的關係一直好好的呀？他們自小學六年級就認識了，到分手時，他們已經認識對方八年了啊！為甚麼說變就變了呢？在他去了台灣的時候，到底是甚麼令他作出了改變？伍月其實很想知道答案。

終於到了今天早上，她收到了溫樂景捎來的WhatsApp訊息：「今晚見個面，可以嗎？」

訊息變了雙藍剔，可是一直已讀未回，因為伍月躊躇著，該怎回覆才好。

接近黃昏，伍月下班。旭仔想要送她，但今天，伍月拒絕了。因為她最後還是回覆了阿樂：「七時，大坑XX餐廳見。」

旭仔唯有急忙說出預先準備好的台詞：「明晚公司有套電影舉行首映禮，妳跟我去吧！」

伍月一聽，下意識就想拒絕，因為她對這種星光熠熠的聚會沒興趣，再說，她根本就沒有漂亮的服飾；可是她一想到那是工作的一部分，便沒有說不的理由，於是她只皺了一下眉頭就點頭。

「那，我在首映禮要幹些甚麼？」

「跟著我，到時我要跟不同的人打交道，妳要給我暗暗記錄一下，見了甚麼人等就可以了。」

「哦，知道了。」

正想轉身離去，旭仔卻拿出一個袋子：「這套衣服送妳的，明晚穿上它吧。明天不用回公司了，你在家趕稿吧。黃昏時間，我來你家樓下接妳就行了。」

「吓，這麼隆重嗎？怎可以要你破費，替我張羅衣服？」

「時裝公司經常會送些衣服來給公司的藝人，不用花錢買的。有很多都放著沒用，只會浪費了它。妳就拿去吧。」

「那好吧。」

伍月正想走，旭仔忽然又問：「我一直忘了問……妳……有吃那排果汁糖嗎？」

「哦……你説那排糖，我吃了一粒，就分了給其他同事吃了……有甚麼問題嗎？」

「這樣啊……沒事了，妳放工吧。」

「好的，明晚見。」

伍月覺得旭仔今天態度有點怪怪的，但她並未深究，就忐忑不安地下班，趕去赴約。

在餐廳內，伍月默默地打量眼前的人。

七年了，但這個人並沒變化很大，只是增添了成熟。客觀説，他還很帥氣，跟他走在街上，應該會惹來不少艷羡目光——只是，這幾個星期，她一直對著更俊美的旭仔，所以對「帥哥」這種生物，早已經有了抗體；阿樂的俊臉，在她眼裡也不是甚麼一回事。

「怎麼回來了？」

「我想念妳。這次回港，其實最大原因是因為妳。」

伍月像是聽到天大的笑話：「溫樂景，你在演台灣偶像劇嗎？不要説謊啦！如果不是昨晚遇見我，你有打算來找我嗎？」

「其實我一回港，就去找過妳了。我沒有打電話給妳，就直接到了勵德邨等妳，想說給妳一個驚喜的甚麼也好……我希望我們的重遇會特別一點……不過我看到有人車妳回家，才沒有出來……沒想過，昨夜會在夜店遇上妳，比我預期的重逢還要特別……」

又是緣份作祟嗎？

阿樂沒有說謊，前幾天他真的有來過找伍月，否則他不會知道旭仔送她回家。

「伍月，這些年來，我也沒有忘記妳。雖然時間是久了一點，但我還是想回來，看看妳現在怎麼了……我跟上天打賭說，如果妳還沒有結婚，甚至還沒有男朋友的話，我一定會努力再次追求妳，然後我們可以重新開始……」

「你真好笑。七年了，我們已經沒有聯絡，沒有相處足足七年，不是七天呀！你憑甚麼覺得我還喜歡你？甚至，你憑甚麼覺得你自己還是喜歡我？不要那麼搞笑，好不好？」

「我從再見到你的一刻就知道，我對妳的心意，從來都沒有變過。妳呢，從十二歲開始就喜歡我了，真的已經對我一點感覺也沒有了嗎？我就賭這一點……妳是個長情的人……」

「你這些說話，是不是太自私了？你不想跟我在一起時，就對我冷冷淡淡，拋下我一個人在台灣不理？現在回來說幾句話，就又想跟我一起？你對感情，是不是看得太兒戲了？」

「對不起。」

「為甚麼你要這樣對我？」

「對不起。」

「不要說對不起！聽著就令人心煩。你在台灣撇下我時，有跟我說對不起嗎？現在說有甚麼用呀？」伍月怒火中燒：「溫樂景，我們已經完了，你現在說甚麼也沒有意思。」

「在台灣……我出了點事。」

「當年你離開香港移民到台灣，說會回來卻沒有回來；到我來找你，你卻對我置之不理，恨不得我快點離開。我知道，你是另外有人了，是不是？當年你說謊了，是不是？」

「我……」

「不要吞吞吐吐了，反正都過了好幾年了，我已經沒事了。你就老實說出來吧，你在台灣，是否有別的人了？」伍月有時很討厭自己，甚麼也要說得一清二楚，不容許含糊不清。或許，男人都會覺得她這種女人難纏。可是她知道，她這一生，大概都不會學懂隻眼開隻眼閉的「生活藝術」。

阿樂也不諱言：「你說得沒錯，那時我的確跟別的女生在一起。」

伍月點了點頭，有一種終於親耳聽到答案的恍然大悟感，有點難受，卻未至於覺得心痛。

那道傷口，早就結了疤，疤痕仍在，但就算按下去，也已經不會痛了。

也好，以前一直覺得好像仍有東西懸在半空——因為阿樂跟她，到最後也沒有親口說過分手——這下終於可以有個終結了。

「沒所謂，我真的已經沒事了。」伍月露出公式化的微笑：「沒多少人初戀成功吧！遠距離的戀愛，就更難了吧！」可是，她失驚無神地，想起中學時洋蔥跟她說那個預言——她的真命天子，是奪走她的初吻的人。

不可信的不可信的不可信的，伍月在心裡一再否定。

「可我根本沒喜歡過她……」

「哦……是嗎？」伍月輕蔑的笑：「那你為何因為她而放棄我呀？」

「因為我欠了她。」

「又來演偶像劇嗎？」

「說出來，真的很老土很鄉土劇的……那個女孩，其實是我繼父的女兒，我們的關係一直很好，我把她當作妹妹看待。後來，我媽媽的身體出了大毛病，是肝病，要換肝。我有乙型肝炎，不適合，但她幫了我媽媽……動手術前，她告訴我，一直喜歡我，說，如果可以，很希望做我的女朋友……

「那時候，我沒回話，但很狡猾地，我摸了摸她的頭，令她誤會了。後來，手術完成後，我一直照顧著她……也不知是因為報恩還是甚麼原因，我跟她走在一起了。那次跟妳在九份，她還在醫院，一直催促我回去。那天晚上，我就是回了醫院去看她……」

「你的意思是……你對她沒有愛，但跟她一起，你喜歡我，卻拋下我？」

「是，可以這樣説。」

「真的很老土啊，溫樂景。」

「卻是事實。」溫樂景斬釘截鐵，咬牙切齒地説。

「就當真的是事實，那也很好呀！你們就一起幸福快樂的生活下去好了，為甚麼還要回來？」

「後來，我跟她分開了。」

伍月沒答話。

「我們三年前就分開了。勉強在一起四年，其實一直都沒有相愛的感覺。她後來長大了，也慢慢知道這樣是不行的，所以就分開了。」

「那，你為甚麼又待多了三年才回來找我？」

「因為連我自己也説服不了自己。當日這樣拋下妳，我又有甚麼面目再找妳？另外，我也一直都有愧於她……到等她終於找到了另一半，早兩個月還幸幸福福嫁為人妻，我才覺得真真正正從這段關係中走出來……才有面目，回來找妳。」

伍月沉默。

「我經常有想起以往在香港跟妳在一起的日子。我最喜歡的人，真的一直只有妳而已。」

「是嗎？」伍月的語氣態度，似乎軟化了。

「伍月，我們可以重新開始嗎？」阿樂沒變，還是直接得很的行動派。

伍月在沉思：答應的話，那個預言，又可以成真。

良久，她重重吸一口氣，說：「不，我曾經好喜歡你，但此刻，我對你已沒有感覺。抱歉了。」

「是因為那個送你回家的男生？即是昨晚遇到的……妳的老闆嗎？」

她喜歡旭仔？不不不，不是這個理由——直到這刻，她還是這樣認為。

她搖搖頭：「不，不是因為他。」

阿樂捉住她的手：「妳不用立刻答我的，請妳再想想吧！」

伍月想把手縮回，可是阿樂握得很緊很緊。

伍月無奈：「阿樂，要放手的時候，就該放手。如果你還是喜歡我，就該尊重我，是不是？」

阿樂望進伍月的眼睛：「妳是說真的嗎？妳知道妳，總是口不對心的女孩啊！你確定，妳不是在賭氣而已？」

伍月笑了：「你還真了解我。不過我這次沒有口不對心呢！」

阿樂輕輕放手，嘆了一口大氣：「那我們還是朋友嗎？」

「如果你想，那當然。你不是說，我們從六年級就開始認識了嗎，阿King？」

阿樂是個樂天派，他打起精神：「朋友也好。就算退回只是普通朋友，也可以啊！我就重新追求妳一次好了！」

伍月搖頭：「不要了。你現在的條件，追女明星也可以，不要來煩我啦！」

阿樂也學她搖頭：「不用說了，妳可以拒絕我，但也不能阻止我再努力一下吧！」他真的沒變，面皮很厚，難纏得很。伍月想，剛才實在應該跟他說，連朋友也做不成的。

這麼多年，伍月對他這種死纏爛打還是沒輒的，也著實有些微動容：「哎吔，究竟我有甚麼好啦，要你鍥而不捨啦？」

阿樂故意損她：「妳也別太自滿。妳啊，長得不怎麼樣；這麼多年過去，身材還是那麼平，既沒事業又沒事業線；又常常口是心非；說話又倔，一點也不像台灣美眉般溫柔啦……」

「你去死啦，還不滾回台灣去？」

「但我偏偏還是想要重追妳，我心不死啊！」伍月沒好氣，根本不想再答話。

阿樂忽然乾咳兩聲，退去油腔滑調，誠摯起來：「說真話吧……其實我覺得妳很好。這幾年，常常會想起一些和妳相處的小片段。妳知道嗎？妳在遞東西給別人時，多數自自然然地就用上雙手；乘車時見有老弱婦孺，總是第一個搶著讓出座位；給乞丐零錢的時候，妳都是深深蹲下去，才輕輕把錢放到碗裡；有一次，經過臭氣熏天的垃圾房，途人都皺眉掩鼻，妳卻若無其事，後來妳還薄責我：『清潔工人還每天在這工作呢』；又試過在小巴上，代替難為情的小女生叫『有落』；妳在雨中看見人家沒雨傘，經常都會送人一程……不知何故，這些小事情的回憶，常常在生活中失驚無神就蹦出來，讓我根本忘不了妳。原來，我都記在心裡……妳比很多普通女子都要善良。而善良，在這個世道，是很難得的個性呀！還有，剛才我說妳長得不怎麼樣，也是說謊；其實我真的很喜歡妳的笑容，每當妳笑，嘴角都會彎起一個漂亮的弧度，瞇起來的眼裡，也會露出笑意，看起來像個小女孩……」

對於阿樂突如其來的讚美，伍月有點不好意思的摸摸鼻頭，歙了歙道：「夠了，別跟我來這套啦！我其實缺點多多，你不要事隔多年後才來美化我。」

阿樂用手指輕輕彈了伍月的額頭一下：「而且我還喜歡妳笨笨的，不知道自己有多好……」

伍月怪叫：「真的夠了，不要裝作情深款款，可以嗎？我想吐。」伍月阻止阿樂說下去，她不想要繼續這種話題。

話雖如此，她也沒料到，這餐飯最後是會換來這種收場。

或者，她真的沒辦法對這個相識了十四年的大男孩記恨。

又或者，所謂背叛的傷痛，真的早就隨年月已經淡忘了。

她對這個人，既沒有了愛，自然，亦談不上恨。

3.6

和阿樂恢復邦交的第二天，伍月終將發覺，她的桃花運正在盛開，開得燦爛。

這晚，她要跟旭仔出席新片的首映禮。

她換上旭仔送她的禮服，是條款式簡單，有點嗄士的高貴黑色長裙。很合身，彷彿是為她度身訂造似的。袋子裡，還有一對很漂亮的高跟鞋，穿在腳上，也同樣合尺碼。

媽媽有雙巧手，替她的長髮挽了一個漂亮的髻，也化了一個較為精緻的妝容。

望著打扮過的自己，伍月覺得自己像灰姑娘，那旭仔就是仙女教母……不，他應該是王子才對吧。

想著這個玩笑時，旭仔的電話就到了，說他的南瓜馬車……不，他的跑車已在樓下了。

或許是悉心打扮過的緣故，伍月的心情沒來由的緊張起來。

搭升降機下樓時，她的心臟跳得厲害，不知是因為轎裡的幾個街坊阿伯不停對她上下打量，還是出於甚麼原因。她未及細想，升降機已由20樓到了地下。

走出大堂時，她的高跟鞋踩在石屎地上，清脆的篤篤聲敲打在心頭上。讓她更添緊張。她遠遠就瞥見旭仔那搶眼的跑車了，而王子居然站了出車廂，正悠閒地倚在車旁，低頭滑動著手機。

那就像是一個電影畫面，帥氣的男神明星安靜等待著，待導演喊一聲action，戲就開演。

浮華得不似真實。

她看不清楚他的臉，於是並不知道，他的神色其實也有那麼一點慌張。

伍月胸前此起彼伏，慢慢的向旭仔走去。旭仔感應到伍月的動靜，就抬起頭來，把視線投向她。

這一秒鐘，這一個畫面，彷彿定格，即使到八十歲，他都終將永誌不忘。

她有點靦覥的來到他的跟前，仰起頭看他，一雙眼睛秋波如水，好像比平時更黑更大，轉盼流光；旭仔但覺喉頭乾涸，心口一陣悸動——他喜歡了十二年的女孩子，為他打扮得漂漂亮亮的，就站在他觸手可及的地方，只要他夠膽伸手一抱，就可以擁入懷裡。

旭仔不由自主的伸出手來……

伍月有些錯愕，塗了睫毛液的眼睫毛像蝴蝶的翅膀在輕顫。

「睫毛掉了……沾到臉上了……」旭仔把伍月臉上丟落的小小睫毛輕輕拿走。

伍月本能地閉上雙眼，臉更紅了。

憨態可掬，可愛得太犯規了。旭仔覺得有股躁動在小腹奔騰，他慌忙別過臉，心中警告自己：「太危險了，不能再盯著她看。」

首映禮上，星光熠熠。伍月一直跟在旭仔背後，看著他游刃有餘的在眾人之中打交道，覺得他比起許多有大名氣的男藝人還要耀眼。

伍月發覺，他身邊所有人，包括她，都已經對這覺得很理所當然。這個人，根本天生就是吃這行飯，從她十二年前在校園認識他那天，就已經知道了。

看，此刻他跟妝扮得無懈可擊的笑笑站在一起，就是一幅美不勝收的畫作似的。

她能夠認識他，已經像是夢一場；如果說她會攀上金枝，變成鳳凰，那是否太可笑？這個可能性可笑到一個點，讓她都笑不出來了。

伍月覺得自己跟這裡格格不入，但每次旭仔回頭看她時，她都只能堆起笑容，應酬式地陪笑。

電影很成功，散場後還有大型慶功派對，在酒店續攤。

「在 after party 待一會。然後，跟我去一個地方好嗎？」旭仔終於鼓起勇氣問伍月。

好睏了啊，腳還好痠，還有地方要去？伍月輕輕皺眉，但她無奈地點點頭。

旭仔沒騙她，在 after party 上台說完話，酒過一巡，跟重要的人物應酬幾句之後，旭仔就帶伍月離開。

「很夜了，去哪啊？」

「有些東西，現在就想給妳看……」不然，不知道還要蹉跎到甚麼時候了……而且，情敵既然來了，旭仔覺得必須速戰速決。

伍月也很好奇，她想像不到，旭仔有甚麼要急著給她看。

車子居然駛到半山一座大宅。

「到了，我家。」

伍月吃了一驚，幹嗎把她帶去他家？

為甚麼啊，伍月想破頭腦也不明白。旭仔只是一味微笑。

「跟我來。」旭仔把伍月帶到他的房間。

為甚麼啊為甚麼啊為甚麼啊為甚麼啊為甚麼啊為甚麼啊？伍月依然困在無比震驚的思緒內。

「坐吧。」伍月聽話坐在他房內的小沙發上。他究竟葫蘆裡賣甚麼藥啊？

他想要我？不會吧不會吧不會吧？

「妳不用慌張，我不是要上演淫賤上司俏秘書……哈哈……」旭仔故作輕鬆，又拿來一對拖鞋：「妳腿很瘦吧，換上這個吧。」

伍月還是不明所以。

「妳……先不要胡思亂想，慢慢聽我說，好不好？」旭仔蹲下來，用誠懇而緊張兮兮的表情看著不知所以的伍月。

「嗯，請說。」

埋藏在心裡那麼多年的情意，該如何說起才對？

旭仔沉吟半晌：「阿月，妳相信緣份嗎？」

伍月還是不明白他為何失驚無神問起這個：「該怎麼說好呢……以前我覺得很重要，但現在覺得，所謂緣份，其實很虛無縹緲吧……」

旭仔心急打斷：「妳難道不覺得，我們很有緣份嗎？」

伍月有點詫異，但靜默起來。她不想想起，但的確不經意想起從前，因為要說緣份深淺的話，她跟阿樂的緣份就更深吧。她還未跟阿樂一起時，就經常在屋邨偶遇，小學六年班時，就曾經坐同一個座位而認識……那又如何？

「怎麼不回答我？妳不覺得嗎？」

「或許，有一點點吧。」她奇怪旭仔為何不停追問。他和她，就是舊同學的緣份，加上三星期前重遇了，然後成為上司下屬的緣份吧。好像並沒有很特別啊。

但是旭仔的反應很大：「只有一點點嗎？我卻認為很大很大。」

說著，旭仔從抽屜裡取出一本畫簿，遞給伍月。

如果沒看錯，旭仔的手，還似乎緊張得微微抖震。

「甚麼來的？」

旭仔但笑不語。

伍月打開一看，立即發覺是本素描簿。

第一頁，是一個結著孖辮的少女，在馬路旁一臉茫然的。

霎眼間，伍月還認不出她是誰，再看仔細，才發覺畫中人，正是伍月自己。

那是，伍月跟旭仔第一次遇見的情境。

伍月愕然：「怎會這樣的？」

旭仔笑，沒回答。

伍月再翻下去，好幾幅是自己在學校裡的樣子。

和朋友交談的樣子。

穿運動服在打排球的樣子。

小息時在小食部喝著維他奶的樣子。

還有，自修室裡，她教他數學練習題的樣子。

下一頁，是她在戲院內跟阿樂坐在一起，等待《功夫》開場。
她記得旭仔說過，他當時也在場。
然後，是醫院裡失魂落魄的她。
她抬起頭，一臉驚訝地望向旭仔：「當時你也在？」
再來，是電車站月台，擠不上車的她。
原來，他也看到她。不自覺，伍月看到雙眼通紅了。她的鼻子好酸，好想哭。

如果你願意一層一層一層　的剝開我的心
你會發現　你會訝異　你是我　最壓抑　最深處　的秘密

想不到，下一頁教她更訝異，畫簿中的她，出現在台灣九份。
伍月帶著哭腔問：「你跟蹤我啊？」
旭仔看到她眼裡：「妳知道當然是沒有。每一次，我都跟妳現在一樣，覺得很驚奇。」
再揭，是她的大頭，出現在五月天演唱會的大銀幕上。
最後一張，就是三星期前，他和她，重遇在尖沙嘴街角的情境。
伍月把一切都聯繫起來。

原來，他一直都出現在自己的身邊。

他倆的緣份那麼深，卻只是一直錯過了。

你會鼻酸　你會流淚　只要你能　聽到我　看到我　的全心全意

不知何故，伍月就是想哭。

哭得糊裡糊塗。

她做夢也想不到自己跟旭仔的緣份竟如此深。

可是旭仔嚇呆了：「妳為甚麼哭得那麼傷心？妳不高興嗎？都說沒有跟蹤妳啊，妳不用怕。」

伍月更止不住淚，只是不停搖頭。

旭仔手足無措。突然，她伏在他的肩膊上，像嬰兒般嚶嚶地啜泣。旭仔把她抱住，撫順她的背。

「你喜歡我……」伍月哭累了，輕聲的問，細如蚊蚋。

「嗯，已經喜歡了妳足足十二年了。」

轟！

這句話有著巨大的能量，震得伍月心頭激盪。

這些日子以來隱約的直覺原來沒錯，但真相比她所想還要震撼。

都説十二年是一個輪迴，旭仔喜歡她，就好像是一世的事情。

旭仔沒聽見伍月的回話，有點擔心，他把她從自己的胸前拉開，凝望她那妝容糊掉的臉。

他如獲至寶似的捧起她的臉，寵溺地望向她，然後情不自禁地輕輕把嘴唇貼上去她的嘴唇，吻去她嘴角那些鹹鹹的淚水。

忘情地熱吻起來。

説來很誇張，但卻是千真萬確，他們真的感到，有一股電流在體內流動。

旭仔已經記不起，自己曾經吻過多少人，但還是頭一趟覺得，原來接吻的真正感覺是如此難以形容的美妙。那兩片唇，怎會如此溫軟可口的？

那是他單戀了十二年的 100% 女孩的滋味，他很激動。

而伍月，過往只跟阿樂接過吻，不過跟旭仔這一吻相比，完全不同。

以前的吻，她總是感到有點羞澀，這下卻叫她全身觸電。

全身的熱力漸漸上升，流遍全身，傳遍四肢百骸。

不知過了多久，大概快要窒息了，兩人才捨得分開。

伍月在喘氣，缺氧令她的臉火燒般通紅。

旭仔滿心歡喜，如果真是在演迪士尼歌劇，王子此刻大概就會抱起灰姑娘載歌載舞，轉圈七十個七次都不夠。

「那，妳是不是願意做我女朋友了？」大概沒有誰會想到，像是情場殺手的旭仔，此刻卻像在初涉情場的青澀男孩，說出這麼一道沒水準的詰問。

伍月沒有立刻回答。聽到問題，她從熱吻的餘溫中清醒過來。

旭仔熾熱的情感，彷彿還暫留在唇上，灼痛著她。謎底揭開，這麼出色優秀的男子說傾心於自己，說不飄飄然，只怕是騙人吧。她簡直就像在對六合彩彩票，然後驚覺自己中了頭獎一樣，幸運得不似真實。

憑甚麼是我？憑甚麼是我？憑甚麼是我？

大概就如被醫生宣判患了絕症一樣，會重複反問：怎麼偏偏會是自己？

但愛情也許一如絕頂幸運或噩運，要來，沒有預兆、也沒有道理可言。愛上一個人的機率，也不如她拿手的數學方程式，有數得計，有步驟可循。

此刻，她大可以順理成章接受他的愛意，成為中了巨獎的幸運兒，就正如灰姑娘，歡天喜地接受王子的愛一樣。只是，她真的要做灰姑娘嗎？

這個問題，中三的時候她隱約想過；這三個星期以來，她也悄悄思考過。

她一直嚮往的，從來不是驚天動地山呼海嘯的愛情。她也不想要每天像是踩在雲端裡，小心翼翼，提心吊膽的愛著。太過有自知之明的這個女生，拿自己上天秤估量過——灰姑娘可是驚人美麗，她伍月，只是普通的可愛呀！

更甚者，伍月不想要不平等的愛情。她記得她的欠債，也記起了她現在正在他手底下工作。她不想看著旭仔居高臨下的俯視著她，也不要她踮起腳尖才能仰望著他。

旭仔不知道伍月此刻腦內的千迴百轉、天人交戰。

旭仔自然也不知道，伍月原來比她自己想像，還要倔強。

旭仔只感到，氣氛似乎有點不大對勁。

伍月低下頭，躊躇著怎開口。其實，她並沒有拒絕他的勇氣，只是，她更沒有就此張開雙手，承接這份厚重情意的膽量。無論如何抉擇，似乎都不對勁。

「旭仔，對不起……」

這三個字，重重的敲打在旭仔心上。

「是因為那個男生嗎？」最大的憂慮，成真了嗎？

「他？……哪個他？你說阿樂？他是回來要求復合沒錯……但並不因為他……」

「難道我不如他？」旭仔情急，根本沒聽清楚伍月的話。

「都說不是因為他，你也沒有不如他。你比他好太多了。不關其他人的事……其實，我們才重遇幾個星期，你不太理解我的生活，我也不太理解你的世界……你先別急，別要打斷我，聽我先說完，不然我都亂了，不知道自己說些甚麼……你告訴我的事，我自然是很開心很驚喜的，但是，老土說句，我們真的是活在不同星球上的，我覺得，你或者只是一時衝動，到真的認清楚我，你到時會後悔也說不定……而我，也不想高攀我不應該攀附的，我總是認為，每個人都有屬於他的安身立命之所……」

旭仔還是忍不住打斷伍月：「喂，真的很老土！就因為我家裡有錢，所以妳不能跟我在一起？那是甚麼鬼理由！這是甚麼年代了？不要那麼老土，好不好？妳只要答我，妳喜不喜歡我？那就行了！妳說啊……」

伍月還是搖頭：「你現在問我，我也答不了你。我是喜歡你嗎？還是喜歡你的好條件？喜歡你的錢？喜歡你是公司老闆？喜歡你英俊不凡？還是喜歡你這個人……老實說，我也根本答不上來啊！」伍月幾乎在吼。

「那些都是我啊！」旭仔不解。

「況且，我還欠你錢啊！也在你公司上班啊！我也知道你不會故意居高臨下看我，也不是施捨我，但我就是覺得這樣不好呀！我不想好像在討你的便宜。就算我們真的要開始一段戀愛關係，但若果一開頭就是這樣男尊女卑的不平等，走下去，我一定會覺得很辛苦，透不過氣來……不會有好下場的！」

「那我是不是一開始就不要借錢給妳比較好？」旭仔苦笑。

「或者你會覺得那是些無謂的自尊心……」

「不，我明白……就算不明白，我會嘗試明白……但，不要完全否定我，行不行？妳再想清楚，行不行？」旭仔努力消化伍月的話，他想笑一笑，以淡化凝重的氣氛，但發現自己的每一吋面孔，都不受控地僵硬了。他，笑不出來。

「當我求妳，不要急著拒絕我，也不要逃避，再想清楚，才回覆我，可以嗎？」

「嗯，直至我在你公司當秘書的這一段時間，直至我把欠你的錢完全還清以前，我們的關係，可以先變回之前一樣嗎？你也可以再看清楚，我究竟是不是你真心想要的人。」伍月其實心裡也很亂，她需要一點時間，去釐清自己的想法。

「當然可以。」只要沒有判他出局，他都可以等。若不是前天出現變數，他本就打算十拿九穩才出手的。況且，旭仔覺得伍月只是太倔強，只要時間一久，她就一定會失守，對他完全敞開心扉的。想起剛才的吻，他覺得，她根本就對自己有意思，不過臉皮薄，或太講所謂尊嚴，才會想要逃開罷了。

逃避很可恥，而且沒有用的啊！——旭仔打算用往後的時間，慢慢讓伍月知道。

就在他們膠著之際，突然腳邊傳來「喵～」一聲。

伍月低頭，看見一隻黑白紳士貓在她腳邊磨蹭著。

她抱起牠：「哦，你有養貓？沒聽你説過。」

「嗯，是隻老貓了。奇怪了，牠平時都不給陌生人抱，有陌生人來，牠都躲得遠遠不會出來的……」

「不會呀，牠很親人。」伍月被貓的萌樣逗樂，剛才的冰點氣氛一掃而空。

「招財，你幹甚麼？突然像個癡漢似的……」

招財？伍月望著肥貓，覺得牠鼻頭上的獨有黑點，很面善……

「甚麼?!」伍月忽然驚呼。

「怎麼了？」旭仔被她的尖叫嚇一跳。

「牠叫招財？」

「對呀……」

「原來是你，偷了學校的貓？」

「甚麼呀，那時我一直有餵牠的，牠也跟我很親近。後來我退學，當然就一併帶牠走囉。」

「是我餵牠才對，牠是我的！原來是你這個衰人偷走了牠！你知道牠的名字是誰替牠起的啦？」

「校工黃伯囉，不是嗎？」

「是我起的，衰人！衰人！衰人！偷貓賊！偷貓賊！偷貓賊！」

「好了。那妳來做牠的女主人，不就好了嘛……」

伍月怒睥了旭仔一眼，忽然又微笑起來，她摸著招財的頭，輕輕地說：「似乎，我們真的很有緣份。」

「那妳以後常常來探牠就好了。」旭仔不會錯失任何一個機會——招財啊！你要幫你的男主人，把女主人把到手啊！

3.7

第二天上班，旭仔再次放下一排果汁軟糖在她面前，還說了一句：「這次不要請其他同事吃了！」

有甚麼乾坤嗎？外表看來，不就是普普通通的一排糖而已。他想暗示，他還記得當年補習時她一直在吃果汁軟糖這種小事，表示他很細心，而且長情嗎？

是有感動到沒錯啦，伍月心想。但是，也不足以讓她立即撲進他的懷裡，忘記自己的顧慮。

而且既然得知了旭仔的心意，伍月在公司內就顯得更防備了。

打後的日子，恰巧有很多兼職工作找上門。

除了上班外，伍月接了很多工作：製作字幕、翻譯、寫鱔稿……周末幫一些製作公司做一整天的攝製工作……能做就做，希望早一點還清欠旭仔的還有外頭財務公司的負債。

思考你儂我儂的愛情故事，伍月認為是很奢侈的事；守護自己尊嚴，雖窮忙但孜孜不息地工作還清欠債和應付日常開銷，才是生活的應有常態——她其實像鴕鳥，把頭埋入沙堆，就以為逃避成功了。

但男生們可不是這樣想的。

他們鍥而不捨，不斷向這個故意裝聾扮啞、忙著打工的女生獻殷勤。本來十多二十萬的欠款，對他們來説都是輕易就能拿出來的數字，可是他倆都知道，伍月不會接受，硬要替她還清，非但不能加分，只怕會把她逼退到更遠。

所以他們只能挖空心思想出其他伍月肯接受的花招。而兩個花美男亦知道對方的存在，暗暗較勁著。

伍月覺得自己原本是塊瘦田，長久以來沒人要來開墾，卻一下子有兩個帥哥搶著要來耕作，立即升格成為了肥沃良田。

的確，這兩位「農夫」相當神心，三不五時就來灌溉施肥，一副期待美好收成的樣子。

像這天，阿樂説想在回去台灣前，跟她去一個地方。

將軍澳華人永遠墳場。

伍月爸爸永遠安息之地。

「你怎會知道我爸爸的靈位在這裡？」

「我問妳媽媽的。」

「為甚麼？」

「當日我沒有回來出席世伯的喪禮，是我不好。現在我想在他面前，親口對他承諾：無論我能否跟妳一起，日後只要妳有需要我，無論我身在何地，也會以最快的方法出現在妳面前。無論發生甚麼事，我都一定會保護妳。」阿樂望著伍月：「以前我做錯了，以後我想好好彌補。」

「我根本不需要你來彌補。」阿樂打感動，伍月卻不為所動。

「那就當我一廂情願啦，總之以後，妳伍月小姐有需要用到我的地方，我溫樂景都會赴湯蹈火，水裡水裡去，火裡火裡去；而且這承諾，永久生效。Till death do us apart。」

還出動到說英語啊？伍月被逗得發噱，噗哧一聲笑了出來。她還想起過去，以前阿樂也曾試過在海灘唱生日歌，非常肉麻，但他還自以為很浪漫。

今日阿樂這個舉動，其實跟當年也很相似。

肉麻的這一部分，從沒有改變。

阿樂博得伍月一粲，也忍俊不禁。

認識了那麼多年了，撇除他曾經辜負過她，伍月覺得，跟阿樂待在一起，是自在舒服的，又或者，大家小時候都出身自草根，所以認為阿樂會明白她的處境多一點，而少了面對旭仔時的惴惴不安。可是，也少了一份驚心動魄的怦然心動。

她不時會想起那晚跟旭仔那場熱吻，那是她頭一趟，嘗到天崩地裂式的激情滋味。即使只是回想，都會使她面紅耳熱，她深深迷惑其中，覺得暈眩，不知該如何面對才好。

伍月忽然想起甚麼似的，問阿樂：「當年你去台灣前，有沒有到過醫院找我爸爸？」

阿樂不知她為何這樣問，他搖搖頭。

那麼伍月就可以肯定了——讓她爸爸放心含笑而終的那個人，是旭仔。

在吃那排旭仔叮囑她別要和人分享的果汁軟糖時，她就已經知道了。

她吃果汁軟糖有個壞習慣，只喜歡吃深紫色的黑加侖子味和綠色的青檸味，不喜歡黃色的檸檬味，橙色的橙味，更絕不吃紅色的士多啤梨味，所以以前爸爸在時，她都會只挑喜歡的，而把剩下的都硬塞給爸爸。

於是她爸爸死了以後，她許久都沒有買果汁軟糖來吃了。

但拆開旭仔送給她的那排糖時，她一開始覺得好巧合和幸運——第一粒是紫色的，第二粒是綠色的，然後，第三粒又變回紫色，整排都是梅花間竹的……後來，她就猜到，這絕對不會是偶然，那是旭仔特別為她而做的！

而她這個習慣，只有她爸爸知道。那麼，解釋只有一個：是爸爸告訴旭仔的！

她記起畫簿裡，有她在醫院裡失魂落魄的樣子。

原來那時，旭仔就已守護在她的身邊。

「似乎是個做了好事也不會宣揚的人，真好，阿月，以後妳要好好跟他一起啊。」在爸爸的靈前，伍月想起爸爸臨終前的話。

日子一晃，最悶熱的盛夏過去，又到了八月底。這幾天阿樂回了台灣，旭仔出差去了意大利威尼斯影展，伍月樂得清靜，上班之餘，其餘時間都趕著完成手頭上一個女性網站廣告企劃的外稿編輯工作。這份工作的報酬相當不錯，伍月心底計算一下，再過兩個月，該可完全還清欠債了。

九月初，旭仔的秘書Sukie放完產假，待旭仔月中回港，也就是她離職的日子。旭仔叫過她留下來，説是調職到製作部門也可以，但伍月婉拒了，留下來的話，不就繼續是他的員工嗎？伍月想要捨棄這個身份——如果要做任何決定的話，這個身份得先拋開。

旭仔暗自滿懷期待，卻迎來了一個不知算是好，還是壞的消息。

伍月跟他説，她有位大學師兄剛拿了筆資金，將要開拍一部電影，正在組班，邀請她加入。她很有興趣，時間上也正好合適，可以在離職後緊接開工。

本來也沒甚麼不好，但最壞的是，劇組居然需要在台灣待上至少半年，十月中就要起行。

旭仔千萬個不願意，生怕阿樂近水樓台先得「月」，卻也想不到理由阻撓她——她又還不是自己的。

就算她真的要去，也得在她成為了他的女朋友，給他一個名份之後，讓他安心一點才去呀！旭仔心在盤算，於是他加緊死纏難打的待在伍月身旁。

像這天，趁伍月來了他家探望招財，他又搞了一場大龍鳳，學人家Chef Le Mon變身Chef Yuk，下廚煮了一餐好的，説是要餵飽她，讓她好好思淫慾呢！

「別煩啦，9月29日，我給你一個滿意答覆。」伍月跟旭仔笑著説，這幾個月來，她反反覆覆思慮良久，其實，早已有了答案。

伍月想起三天前，在銅鑼灣時代廣場經過時，碰見久違了的中學同學——楊風和劉安芝，而他倆，居然成了一對！他們把她拉著，去吃了一個下午茶。

楊風比以前帥氣，跟朋友合資開了一間廣告公司，成為年輕才俊老闆；而劉安芝依然艷麗，只是有點幸福肥，畢竟挺著七個月的大肚子，是個體態豐腴的少奶奶。

寒暄了幾句，劉安芝就直奔主題：「怎樣啦，後來林志旭還有沒有找妳啊？」

楊風也笑：「對呀，他當年很迷妳的嘛……」

伍月錯愕了一下，但隨即釋懷：「原來連你們也知道。」

他倆大笑：「就只有妳一個不知道而已！」劉安芝雙手合十，作道歉狀：「不好意思啦，我一直有點內疚，害怕因為我當年的搞搞震，而令妳錯失大好良緣呢！」她把當年誣蟻旭仔的事，一五一十說出來。「說出來就舒服多了。哈，說到底，當年我是校花啊，我喜歡的男生卻喜歡妳，真是氣死人嘛！」

「沒關係啦，如果有緣的話，始終還是一起的。雖然我不知道，是不是配得起他呢……」

「別妄自菲薄啦！其實妳很好啊，在聖彼得也只是僅次於我，哈哈。」她用手肘撞了丈夫一下：「你說是不是啦？」

「是啦是啦，老婆大人所言甚是。伍月，雖然妳只是僅次於阿芝，但妳要有信心啊，我當年就已經這樣跟妳說的啦！回想林志旭當時，真的十級迷戀妳啦……對了，他有跟妳聯絡嗎？」

伍月赧然：「嗯，其實，等一下我就是約了他。」

二人起鬨：「妳們在一起啦？他把妳追到手了？」

伍月搖搖頭。

劉安芝激動地拍她的手臂：「這樣的『苟盤』，打著燈籠沒處找啊！快點跟他一起啦，然後下次舊生聚會把他帶出來啊！」

那將會是何等畫面啊？或者，會很有趣吧，伍月幻想。

伍月又想起，就在剛才，Chef Yuk在廚房忙著時，她跟管家文叔，閒聊了幾句。

「這段時間，應該是這十幾年來，旭仔最開心的日子。」伍月打哈哈，不置可否，來做說客嗎？

「有志氣是好事啊，但如果為了自尊，而錯失一段好姻緣，就不值得了。」伍月還是點頭微笑。

「別太過鑽牛角尖。日後妳一定會發覺，如果真正喜歡一個人，其實自尊真的不算甚麼一回事。」文叔語重心長的說。

伍月笑：「叔叔的意思，我明白。」

這個和藹大叔繼續說：「如果妳以為，你們好像處身不同的世界，那也有點犯傻呢。

每個人的命啊，當然是不同的，所以才要有人世間各種各樣的相逢啊！妳看那傢伙，表面好像甚麼也有的，條件也比誰人都好，但他也不過是個普通男孩，會寂寞會難過，會有求不得的東西。他的母親在他很小的時候就走了，爸爸又常常不在家，現在又再婚了，他其實總是一個人的。今天的他，一副長袖善舞的模樣，但他並不是真的那麼遊刃有餘的，認識他久了，妳不會不知道吧？對著妳，就更是患得患失。」

伍月嘆口氣，說漏了嘴：「但我也不能保證一定能給他幸福啊……」

「感情世界裡，沒有人能保證甚麼的，不嘗試一下，又怎會知道結果啊？妳不是那麼膽小吧？」

伍月沉默。這些道理，聰慧的伍月，其實又哪會不明白呢？

在她失神之際，忽又聽見旭仔在擾攘，拿出手機，對著她按下錄影鍵：「真的嗎？剛才妳說的是真的嗎？不要食言啊！不，為了怕妳到時反口不認，現在再說一次，我要錄下來做證。」

9月29日是一個甚麼特別的日子？那天，是林志旭的30歲生日。

會把自己包成禮物，綁上絲帶繫上花球送給我嗎？旭仔色色的期待著。

3.8

伍月當然不會把自己綁上蝴蝶結送給旭仔。

而原定準備好的慶生節目，她也突然喪失了興致——

9月27日，十幾萬人，走到街上。她是其中一個。

9月28日，她於金鐘的街頭，在胡椒噴霧的嗆鼻和催淚氣體的煙霧困境中，流著傷心的眼淚。旭仔一直護在她身旁。

那夜，她哭得一塌糊塗，卻在逃離現場時沒有回到自己的家，而是隨旭仔到了他家。

已經踏入凌晨，那是旭仔的生日了。

但她現在不知該用甚麼的心情去過這個本應甜蜜的日子。

剛才兵荒馬亂的一刹那，她有過一絲恐懼。街上和手機 WhatsApp 群組裡的謠言滿天飛，一會兒說要開橡膠子彈、一會又說要開實彈，她真的好怕好怕會出事。

當她拖著身邊的這個人，覺得好像走在槍林彈雨之中時，就驚覺，如果他有甚麼意外，她一定會受不了。和失去他相比，兩個人之間的那些所謂差距、她的無謂自尊，好像變得毫不重要。

在那麼的大事發生之時，居然還想到兒女私情，伍月覺得自己有點爛，她盤坐在旭仔的床上，悶聲不哼。

旭仔隔著她披著的薄被，一下子就抱住了她：「沒事了，不用怕。」

她嚶嚶開口：「你的生日，大概不能如期去玩了……」她靠在他懷裡，抱歉地說。

「其實根本不用去任何地方。只要妳在我身邊，就好了……」

是的，只要不死，只要在一起就好了。

在離析分崩的世界裡，她慶幸還有所愛的人。

那就不要多想多顧忌多偽裝，乾脆就一起吧。

像張愛玲筆下的傾城之戀，用整個香港的淪陷來成全范柳原和白流蘇，或許此刻這一場運動，也成為了她義無反顧戀上旭仔的最好時機。而這，也根本就是她原先就要告訴旭仔的答案。

她甚麼也不想說，因為任何語言都不足以形容她此刻所感，任何表述都一定是多餘的。

她主動環上旭仔的脖子，送上一吻。出盡力氣，把這個戀慕她已久的王子，重重的擁在懷裡。

在愛與痛的邊緣，這夜，兩人纏綿相依，交出最坦蕩的心意。

這樣的一場運動，和熱戀一樣，同樣令人難以喘息。

十月中，街頭持續被佔領，而伍月卻要暫別戀人，出發到台灣，加入師兄的劇組。是的，伍月並沒有如旭仔所願，推掉工作，做其乖乖牌女友，留下來陪他。死去的老爸除了有叮嚀她跟旭仔好好相處之外，生前也常常教誨她往後的人生別要只靠男人，反倒要多遊走世界，放眼世界。

旭仔當然是十萬個不願意，但他永遠都執拗不過伍月。

廿四孝男友跟寶貝女友說：「妳居然睡了我就走，真無恥！也不怕我被其他女豺狼叼走啊，好多女人在虎視眈眈著的！不過不要緊，飛往台灣快得很，我會常常來黏著你的。」

而他說到做到，開頭每幾天就過來一趟，煩得伍月要下逐客令，後來約定了每個月最多只准過來探班一次。

聖誕節了，也就是說，伍月的27歲生日也到了。

台北陽明山The Top餐廳裡。

「喂，林大少你可不可以收斂一下你的發電裝置，你那閃光彈式的笑容和熱情的視線，真的快要令我瞎眼啦！」伍月在取笑旭仔，如果不損他兩句，這個妖孽般的花美男就會像孔雀開屏一樣，招來全場的注視目光。

「那下次妳晚上出街也戴太陽眼鏡好了，小心不要弄壞眼睛嘛；妳若盲了，就看不見妳心愛的人的俊臉，那就十分十分悲慘，比山區無書讀的小朋友還要可憐呢。」旭仔順著伍月在講笑，但其實此刻的他，心裡有些緊張，手心正在默默地冒汗。

有些很重要的話，旭仔正打算要對伍月說出口。

他拿出一個錦盒，遞到伍月面前。

「生日快樂。」

伍月打開，是一條星星手鏈，款式有點……小可愛。不像是旭仔的出手，但是，無論他送甚麼，伍月都是歡喜的。

「其實，這條手鏈，是十二年前，我準備送給妳的聖誕禮物。」

伍月笑，怪不得啦。她把它拿起，戴在手上，彷彿回到小時候的光景。

「……當時想著送給妳啦，豈料有人卻冷漠無情，二話不說就不跟人補習，一點口齒也沒有……」旭仔碎碎唸。

伍月沒好氣，就伸手摸他的頭，揉了揉他的頭髮，算是安撫他的意思。伍月常常會暗笑，這就像摸招財一樣的手勢，他一直居然很受落呢。

「所以啊，妳要補償我……」旭仔還在裝委屈。

「對不起啦，我卻沒有準備聖誕禮物給你呢。」

「那妳給我甜笑一個就好。」

「那麼便宜？」

「妳笑，對我來說，就是最好的禮物。」

伍月發自內心的嫣然一笑，並且大發慈悲：「好啦好啦，就給你一個有求必應的願望吧！你只要說出來，我做得到的話，都應承你啊！」

「妳說的啊，不准反悔！」

「事先聲明，不要叫我拋下劇組跟你回香港啊，這個鐵定不行，其他的，都有商量。」伍月想了想，補充說。

「好，君子一言，駟馬難追啊！」旭仔再三要伍月保證。

伍月笑了笑，點頭：「好啊！」呿，伍月心想，她又不是甚麼君子。

旭仔又從另一邊的口袋，掏出另一個錦盒，又一次遞到伍月面前。

「再一次祝你生日快樂！這一個，才是今年的。」說得有點緊張兮兮似的。

福至心靈般，伍月感覺到有點異樣。

拿起錦盒的手，也有點不由自主的顫抖起來。

打開，是顆鑲著閃亮鑽石的戒指。

她傻傻地把盒子合上。

又再打開。又蓋上。居然重複了兩次。

她重重地吸了口氣，又緩緩地把它再次打開。

「妳沒看錯，無論打開幾多次，它都是一顆求婚的鑽石戒指，不會變成一塊石頭……」

「哦……求婚啊……」伍月嚅嚅説道。

「是。」

「為甚麼啊？」

「原因只有一個吧——

「我愛妳，伍月。今生今世，我會比誰都更愛妳。」即使當年那驚鴻一瞥的鍾情來電，以及念茲多年後終得以結合的激情，其實是一場分泌多了苯乙胺和多巴胺化學反應，但長相廝守去愛一個人，末了，還是允諾和決心。

這種篤定，最是美麗。

伍月呆住。未幾，就又哭了。以前的她不常流淚，長大了的她，淚腺卻反而豐富了。

相比起旭仔的篤定，伍月一直是怯懦的，但她記得曾讀過某個哲學家説愛情的一句話：「愛是一種穿透，讓我們能夠與另一個人結合，卻仍保有自身。」所以，根本用不著

2014

害怕。

再顧慮太多的話，顯得多餘而且自私。

於是，伍月像是精神分裂的，流著淚的臉，又忽爾破涕為笑，嘴角從泛起一絲微笑，不斷擴大再擴大，笑得像是贏了全世界。

她向旭仔伸出了手。

指環，由旭仔牢牢地套在伍月的手指上。

情人緊緊相擁。

假如，時間能夠停在這一刻，這刻成了永恒，旭仔和伍月，就是世界上最幸福的一對了。

假如。

王子與灰姑娘，從此，快快樂樂地生活下去——就好了。

就好了。

3.9

2015年，3月，劇組忙得如火如荼。

最後的煞科，大概就在月底吧。拍攝工作竣工之後，伍月就會回到未婚夫的身邊。

待在台灣的這些日子，阿樂偶爾也有來探伍月班，趁她工餘的空閒時間短敘一下，也在旭仔沒來台的日子，好好歹歹地盡了地主之誼，略為照顧伍月的起居生活。

輸了給旭仔，他有點不忿氣，但最終也無奈接受。退守在朋友的位置上，他真心希望伍月過得好好的，畢竟，那是他真心喜歡過的女孩。該心安，還是心痛，他不曉得，只知道以後就算不再並肩，就算有了各自的人生，他都祝福後來的她，能夠真的幸福快樂。

那天當他從她口中，得知她已經答應了旭仔的求婚時，他的心難免有點失落，但他同一時間，也打從心底為眼前的女孩高興。他以説笑掩蓋自己的難堪：「氣死人了！明明是我在十年前已約定要娶妳的，怎知道剛好在十年後卻給第二個臭小子捷足先登！如果他待妳不好，他日要離婚的話，第一個要先考慮我啊！哈哈，誰叫我在妳爸靈前誇下海口，説要保護妳一輩子？當然包括做妳後台，不讓妳給夫家欺負！」

伍月其實也沒有忘記十年前那約定，只是往日的回憶只能好好收藏在心坎裡了，日後也許記得，也許忘了吧，都將不再重要。

伍月笑了：「如果旭仔欺負我，你替我打死他吧。不過他是柔道黑帶呢，你要先學好功夫。」

又過了半個多月，伍月已定了歸期。這天，阿樂又來接伍月下班，説要去吃頓飯，好好餞行。

餐桌上，阿樂跟伍月説，遲一點也會出國去，準備流浪式環遊世界。

「周圍去逛逛看，一直是我的人生規劃之一啊。好像以前就有跟妳説過了。」阿樂説。

「我記得啊，其實你從來都是一個坐不定，也定不下來的人。」

「反正妳也不要我，要嫁給其他人了，嗚嗚嗚，我唯有去結交洋妞啦，聽說烏克蘭的美眉超正點，也很歡迎中國男生……就看我出手，征服世界吧！」

「記得做足安全措施，不要到處播種啊！」

舊日的情侶難得成了無所不談的朋友，伍月慶幸，重新聯繫上這個認識了十六年的男孩。戀人做不了，以後，他大概會是她家人一般的存在——如果旭仔不呷醋的話，她希望能和他一直保持聯絡；不用常常見面，但即使多年不見，她們還會像老朋友般，有說不完的話題，也有從小六就開始養成的默契。如果可以，她想要親眼見證他下一個愛情故事，看見他找著屬於他的幸福。

他和她這故事，終於寫下句點。不會忘懷，但終究已釋懷。她相信，她期許，在各自未來，大家都會更珍惜下一章的，人和事。

可是，世事往往未如人意，而未來，也可能永遠不會來。

這夜，回程路上，下起滂沱大雨。

車子走在濕滑的公路上，意外就發生在電光火石間。

一切都是發生在千鈞一髮之間的。駛在他們前面的電單車忽然失控，發狂似的衝去了對面的行車線，火花四濺，傾向一部大貨車撞去。

大貨車及時扭動了方向盤，避開了與電單車相撞，可是，卻失控地向他們的車子撞過來。

阿樂向右邊狂扭，但卻始終避不了。

——轟！

一聲巨響。

阿樂伏在伍月身上，盡最後的努力，保護她周全。

前後，不過是在五秒內發生的事而已。

車頭已瞬間變成廢鐵，阿樂雖沒被壓著，卻伏在伍月身上，卡在其中。

撞擊力太大，伍月昏厥過去。

車廂內全是玻璃碎片，阿樂和伍月身上的血不斷流出，慘烈的鮮紅色混合在一起。

生命逐吋逐吋的流失，意識漸漸迷糊……

曚矓間，伍月看見阿樂。

她環顧四周，發覺自己正身處機場。

平時多話的阿樂，這刻卻沒說話，只是站在幾個身位前面，望著她，牽了牽嘴角，在笑……

她想向他走近，但距離卻一直存在，沒能縮短。

阿樂揚一揚手上的機票，揮揮手，嘴皮在動。伍月沒能聽見他在說甚麼，從嘴形看出，他彷彿在說再見。

伍月想叫住他，但張開口，卻發不出任何聲音。

下一秒，阿樂就不見了，伍月望向顯示屏，那裡標示著一個日子、一個時間。

伍月覺得難受，胸口撕心的劇痛，接著，全身都疼痛起來。

——呀！！！！

從三日三夜的昏迷之中，伍月醒轉過來。

她最先看到的，是旭仔長了鬍渣的惶恐不安的臉。

他正伸手，擦去她眼角流淌下來的淚水。

半晌，她才明白發生了甚麼事。

剛才，那個是夢。阿樂來跟她告別的夢。

「阿樂……怎麼了？」

「他……走了。」

走了？

伍月咬住嘴唇，嗚咽起來。

許多回憶，像潮水淹至。

他說……「因為這是我為自己定下的一個目標。當你看完這十封信後，我就會向妳求婚！」

他說……「我從再見到你的一刻就知道，我對妳的心意，從來都沒有變過。妳呢，從十二歲開始就喜歡我了，真的已經對我一點感覺也沒有了嗎？」

他說……「2014年這一刻，相信妳已經是溫太了！想到了要去哪裡度蜜月沒有呢？我從小就決定要環遊世界一遍，妳要陪我逐個逐個國家去啊！」

他說……「無論發生甚麼事，我都一定會保護妳。而且這承諾，永久生效。Till death do us apart。」

這個說話多多，常常隨便許諾的男孩，以後，卻甚麼也都說不了。

他走了——

真的？假的？這個鮮活的大男孩，已經不在這個世上？

伍月覺得驚怖。原來人生最可怕的，在於那無常、那忽然性、那毫無預警，容不下渺小的人類做任何事情。

生命，可以說沒有了，就沒有了，是沒有了。

伍月的淚水不可遏止地潸潸流下。

她哭得嗆住，像溺水卻抓不住任何浮木般一樣無助。

3.10

伍月的傷勢奇蹟地輕微，只是些皮外傷、瘀傷和骨裂，全身縫的不超過二十針，留醫個多星期後就出院了。

直至後來她才知道，夢中她看到的那個出現在機場顯示屏的日子，竟然正是阿樂下葬那天。不是迷信卻不由得不信，那是阿樂跟她的最後道別。很難用言語去解釋，但當刻阿樂那個有絲促狹味道的微笑，硬撐著伍月，成為了她慟絕過後的救生圈。

一切安定以後，她下了個旁人看來大概有點裝模作樣的決定——她想要代替阿樂，子身流浪天涯，邊打工邊走遍世界角落，代替他好好看遍這個世界。

那些，他本來要去看卻沒能看到的風景。

就說是矯情好了，但伍月更加做不到，就此回到香港，說服自己，人死不能復生，人總得往前看，然後照原定計畫，跟旭仔沒事人似的步進教堂，假裝甚麼事也沒有發生。怎麼可能，還可以若無其事地對著旭仔展露笑容？那會讓她遍生罪惡感，內疚得刺痛！以這樣的心態待在旭仔身邊，也只會是對雙方的折磨啊！

無論如何，伍月都不可能在這刻忘記，或者放下阿樂。

跟旭仔快快樂樂牽手結婚去這個美滿的結局，已經剔出她目前的人生選項。

儘管多麼不情願，旭仔也只能放伍月離開自己身邊。

而讓伍月這樣離開，會不會就此弄丟她，他其實不敢細想。因為本來他們的關係，也不算是十拿九穩的，他知道伍月總是用棱角去保護自己，並不願意示弱，袒露最脆弱的內心。並不如他，任何時候對著她，也是赤裸裸坦蕩蕩的。

放她出走，旭仔非常擔憂，異常不安，但是他卻願意克制、壓抑，大概這是非常難以做到的愛。

旭仔懂得真正的愛。這天跟她告別，不知何年何月這個扭結的腦袋會想通想透，讓他倆可以再重逢，悵然若失的旭仔緊緊的抱住了委靡鬱卒的伍月，在她耳邊輕輕說：

「伍月，妳一直都是我對的人。那麼多年，我卻似乎一直都是出現在錯的時間裡。但我相信，終有一日，我們會再遇在對的時間軸上⋯⋯那時，我就一定一定一定不會再放妳走了。」

一別，就已兩年多了。

當兩個人有緣到即使去到天涯海角也會相遇時，世界很小。但當兩個人摸不著對方，在茫茫人海失散時，世界卻又大得令人發慌。

其實伍月每去一個國家、一個新的地方，都有傳送相片給旭仔，是報個平安的意思，好讓他安心。可是她從來都沒有寫下隻字片語，也從不回話。

都説悲傷會隨著時間而流逝和痊癒，路途上她遇過不少人，聽過不少故事——傷感的、幸福的、開懷大笑的、動人心弦的、悲慘的、比小説更離奇的……的確有讓伍月一點一點放下固執和痛楚……

但要完全放得下，似乎還要等待某一天，神明慈悲，終於想起她憐憫她，讓她獲得釋放自己的那一個契機。

但旭仔卻從來沒有忘記她。每一天，心心念念。

旭仔記得伍月曾經説過，她對他的世界並不十分理解，害怕走進去會覺得惶惑不安，於是從她走後那一天開始，他都會在當天結束前，在WhatsApp給她傳一封長長的信。

鉅細無遺的，有時是當天發生的日常瑣事，有時是把孩提開始發生的往事，一件又一件的娓娓道來。

27 May, 2015

Facebook 提示去年今日我們去了看五月天的演唱會。
今年，他們不能如期開騷，也罷，反正妳也不在我身邊。
明年等你回來，我們再去看吧。

今天我去探了妳媽媽，
她跟我說了妳一些小時候的事，
送了我一張妳幼稚園時候的照片。
我也找出幼稚園的照片給妳看看吧。

圖中這個白白胖胖的小伙子，很可愛吧？抱著我的，是我那美麗的母親大人。那時的我，大概五歲，是個天真無邪沒有煩惱的小伙子。當年我最喜歡的卡通片叫《四驅小子》，我記得我媽雖然超疼我，但總是有點嚴厲，她製作了一本「好孩子手冊」甚麼的，要我集齊一定數量的貼紙才肯買架四驅車送我。

小時候的時光很快樂。但七歲那年，我媽有天突然在家中昏厥，是急性心臟病發，突然就離開了我和老爸。那年她才三十歲出頭。
天地不仁，以萬物為芻狗。生命一直都是如此無常，其實誰也沒有特權⋯⋯但我一直在想，只要我還記得她，她就仍然活在我的心裡吧。

馬奎斯有句話是這樣說的：「生活不是我們活過的日子，而是我們記住的日子，我們為了講述而在記憶中重現的日子。」

我媽、妳爸、溫樂景，現在和未來，
都會在我們的講述中重現，雖死猶生。

9 June, 2015

今天保安局向南韓發出紅色旅遊警示，
如果妳還沒有決定下一站去哪，
還是暫時不要去韓國好了。

說起沙士，我記得12年前沙士肆虐香港正是我從聖彼得退學那一年。那年，原先我是要考會考的。但因為妳的緣故，我避走到美國去（哈哈哈）。

我讀的那間野雞大學，採取的是Trimester學制，
四月中是第三個學期，我是在三月的時候就過去了，
所以沒有真正感受過沙士的可怕。

但我有沒有告訴過妳，我其實一直很喜歡張國榮？
當時他的死訊傳來，我哭了。
或者也是因為一個人在異地的寂寞吧？

以前在聖彼得，每一天都是過得熱熱鬧鬧的，
身邊總是有人圍在身邊團團轉，
放學後總是有停不了的活動，
根本不識孤獨二字的滋味。
想不到要到去了美國，
我才正式領略到「寂寞的十七歲」。
如果妳在當異鄉人時覺得寂寞難耐，
隨時都可呼喚我，我會立即來到妳的身邊。

P.S. 剛看到今夜星空燦爛，
拍下來送妳。別忘了，
我們其實處身同一星空下。

當妳見到　光明星星　請妳想　想起我
當妳見到　星河燦爛　求妳　在心中　記住我

P.S.2：回來後，我們一起去唱哥哥的歌吧。

P.S.3：P.S. I Love You

1 Jul, 2015

今年遊行的人少了。
似乎大家還沒有從運動中復元過來。

最近我有抽時間重新持續鍛煉身體，
每朝早去寶雲道、馬己仙峽道一帶練跑；
晚上回家會練水。

我還在公司添了器材，空檔時間也可以work-out。
因為我參加了今年的三項鐵人。
妳記得我中學時就是運動健將吧？
妳呢，究竟妳有沒有運動細胞的？
好像都沒有聽見過妳會去做運動？

附圖請看我的 Six Pack。
很想摸吧？
Reserved for you only.

29 Sep, 2015

Happy Birthday to me.
You know what is my wish.

但，只要妳快樂。
只要妳平安。

I love you.
I miss you as always.
I am right here waiting for you.

20 Oct, 2015

弟弟升上小學後，
今天我第一次去接放學。那小鬼！

一邊走出校園，一邊大派飛吻、狂眨單眼放電、又裝萌甜笑的……
非常非常造作……完全像我老爸，也……像我的小時候呀！

天呀！原來以前的我，是如此可笑！
我一直到中學畢業，都是這副德性呀！
怪不得妳當時覺得噁心吧？

小弟今年六歲了，非常聰明伶俐，而且古惑非常！
他叫林志日，乳名蟲蟲，是個非常惹人疼愛的小男孩。
等妳回來，我們一起去玩吧。妳一定會喜歡他的。

25 Dec, 2015

聖誕節，跟蟲蟲去了看《Star Wars》。
我雖不是 SW 迷，但這一集 JJ Abrams 處理得蠻不錯，娛樂性很高，節奏也明快，蟲蟲看得非常開心。

而我覺得好看，是因為覺得 Rey 有些眉梢眼角，
總讓我想起妳！
倔強。
單純。

May the force be with you. Happy Birthday.

25 Jan, 2016

這兩天香港冷得很。零下的度數，還下起凍雨來。

飛鵝山和大帽山的路面都結了霜，好多人被困。網絡上流傳香港落雪的影片，但天文台説只是小冰粒。

妳呢？第一年過白色聖誕嗎？小心著涼，因為健壯如我，都居然大感冒起來。吃了藥，很睏。要睡了，明天再談。

3 Apr, 2016

今晚是金像獎頒獎禮。

《十年》榮膺最佳電影，現場歡呼聲如雷。
爾冬陞頒獎時說：「最需要恐懼的是恐懼本身。」
無論電影是否拍得夠好（這個就不談啦），
但這個姿態擺出來，彌足寶貴。對於電影圈中人，
展示了作為創作人的取向，我想還是值得驕傲的。

最近公司在挑選一些年輕人的劇本，
有些寫得蠻不錯，有想法，也有很好的命題。
伍月，妳有沒有想要說的故事呢？重新執筆編寫吧。

幾天後 ViuTV 開台了，希望影視界都有些新衝擊。

8 Jun, 2016

我們的中學 100 周年校慶開放日。
我忽然好想回去看看，我們曾經一起讀過書的校園。
雖然……那也是溫樂景跟妳一起待過的地方。

學校基本上甚麼也沒變。有些老師退了休，有些還在。像 Miss Wong，她還記得我，也還記得妳。
最驚喜的，是校工黃伯居然還在！現在學校搭建了個貓舍，養了幾隻貓，據說是現任貓奴校長的意思，說是給師弟妹上甚麼「生命教育課」。

對了，招財還是很健康，雖然已經十四歲了吧，但這個大叔還是身手敏捷，健步如飛。
不過，牠很想念妳就是了。
牠的主人也一樣。

說回開放日，妳猜到我還遇上誰嗎？
是楊風！還有劉安芝！原來他倆已經結成一對，兒子也已經歲半了，肥肥白白的相當趣致。
他們叫我問候妳啊——
那，妳好嗎？

他們說要搞個舊生聚會，妳說，甚麼時候好呢？
大家都等待妳回來。

P.S. 附上招財出浴照乙張。
那麼可愛的傢伙，
正在呼喚著妳。

25 Jul, 2016

今晚駕車經過維園，見到很多年輕人，
也有一家大細聚集，好久沒見如此熱鬧了。
大家在玩 PokemonGo。

《寵物小精靈》熱播時，
我大概好像是五年級還是六年級的，
哈哈，雖然我讀書成績不太標青，
但我當時可以背出 2 百多隻精靈的名字！
很厲害吧我？

車厘龜、小火龍，固然喜歡啦，
但其實奸角喵喵怪也很正斗。
不過我最喜歡的，還是小霞啦！
她平常很溫柔，但卻很容易被激怒，
變得很暴力，非常得意！

都說全世界的潮流總是重複又重複，
近年各地也興起懷舊潮，
像最近 Netflix 的《Stranger Things》就拍得非常不錯。

估不到，我小時候玩捉精靈的玩具，
現在蟲蟲也在玩捉精靈，
不過是在手機上、網絡裡。
呵，我還有留下當年的
《寵物小精靈角色大圖鑑》！
拍張照給妳看！

對了，有聽《自傳》嗎？

如果我們不曾相遇 妳又會在哪裡？
如果我們從不曾相識 人間又如何運行？
那一天 那一刻 那個場景 妳出現在我生命

29 Sep, 2016

我覺得快要按捺不住了。
真的很想妳。
從妳上次傳來的照片，知道妳在維也納。
於是我也到了奧地利，想著或許可以撞見妳……

但緣份之神似乎在罷工中。
我沒有強逼妳的意思……
但希望明年的生日，可以有妳在身邊。

9 Dec, 2016

某君宣布不再連任，算是今年的好消息吧。

快要聖誕了，今年我們一家會去瑞士滑雪，如果妳在附近，會來一聚嗎？

説起滑雪，我曾經在 13 歲那年，在法國滑雪時摔斷了右小腿呢！當時痛得半死，我爸還堅持說我是男子漢大丈夫，不准我哭呀！

打著石膏回來，非常麻煩。最搞笑是，當時打了石膏大約 6 個星期，豈料拆石膏後，小腿前前後後都長滿又粗又黑的毛髮！超噁心！超嚇人的！醫生説那叫「局部多毛症」，原來一般情況大約三個月就會完全消失。好神奇，真的大約三個月後就變回皮光肉滑！

那時做了半年復健才完全康復。不過滑雪真的很好玩的，希望今年可以教曉蟲蟲啦！

12 Feb, 2017

跑了全馬。
2 小時 45 分跑完，算是理想的成績。
笑笑今年也有參加，不過跑的是半馬。

她最近接拍了幾部角色硬朗的動作電影，居然迷上健身，還跟師傅去學泰拳，形象也有所轉變。原先我還以為她玩玩而已，想不到這次很有毅力和恒心；她做戲也愈來愈上心，忽然開竅般，似乎可以由偶像派轉型到實力派！

人啊，就是這樣，開竅就好。

26 Mar, 2017

結果呢，並沒奇蹟出現，操盤的十拿九穩。

杜 Sir 之前説過，香港再經不起多五年的折騰……
但這樣的結果會讓香港好一點還是更壞？難説吧。

最近公司有兩個同事辭了職，
原來正準備移民，
一個去泰國，説是去嘆世界；
一個嫁去芬蘭。
會不會一處太熱，
另一處太冷了啊？
妳呢？怕熱，還是怕冷？
去了哪麼多個國家，妳最喜歡哪裡？

其實我最喜歡的，還是香港。

17 May, 2017

一個人去了看五月天的《人生無限公司》演唱會。
跟妳去看那次到如今，已經三年了。

為甚麼失去了
還要被懲罰呢
能不能就讓　悲傷全部
結束在此刻　重新開始活著

29 Aug, 2017

昨天十號風球！
風好大，雨也大，
網上流傳的水浸片超誇張的。
不知妳看到沒？
還記得 Amy 嗎，她家就住杏花邨，
也有車泊了在停車場內，卻非常好運，
在水淹之前駛了出來，倖免於難。

記得小時候很喜歡打風，因為可以不用上學，
老爸也會不上班，一起在家打遊戲機。

現在當然知道打風會影響很多人和事……
像本來有場首映，也臨急臨忙要取消。
我們家後面不遠的山坡也塌了不少樹，
還山泥傾瀉。幸好香港沒甚麼人命傷亡，
但澳門那邊可慘了，死傷人數不少……

29 Sep, 2017

昨晚我又夢見妳了。
夢境異常異常的真實。

妳穿著我曾經送妳的黑色禮服，走過來摸摸我的頭，然後拖著我一直跑一直跑，看清楚，原來是聖彼得校園的大草地。

妳咭咭笑的，拉我一起躺在草地上，舉起手，遮擋和暖的陽光。日光中，我看到妳的無名指上，正戴著我送的指環。

而妳一直在微笑，一直在微笑。
然後妳跟我說：生日快樂。旭仔，生日快樂。
還重重的親了我一下。

我真的很想妳。再不回來，我真的要去抓人了。

伍月總是坐在遙遠他方的旅館床緣上，讀著旭仔真摯的文字。

她不回話，是不知道說些甚麼才好。

多少個寂寞的夜裡，她孤身一人在呆想，該怎樣，才可以有資格納回正軌、重拾幸福？

已經二十九歲的她，年底就要踏入三十歲了，歲月是否再可以經得起她繼續蹉跎？

她所愛的城市，固然千瘡百孔，日復日的崩壞，但那裡有她所愛的人，她總得要回去。

她思念他、渴望見他，卻覺得回家的路，舉步維艱。

沉溺在悲傷裡，同時對世界懷有恨意，是輕而易舉的；學會前行，對全世界以及世界上的某人始終摯愛，才是最難的修行。

2017年10月16日。

這夜旭仔傳出去的戀人絮語，是他少年時的故事。給伍月看的照片，是15歲的他在沙灘上的留影。

他跟她說，中二那年的夏季，他特別喜歡到海灘游泳和曬日光浴，整個夏天都曬得黝黑的，好比黑炭。他說，大概那期流行古天樂吧，少年的他，在模仿偶像。

伍月把他在沙灘上的照片看了看，忽然間，伍月怔住，似看出了些甚麼……

黝黑帥氣卻又有點稚氣的旭仔，站在相的正中，可是他的背後……

背後有些沙灘上的其他泳客……

伍月把背景畫面拉近。

居然看到……

她自己！

她，當時也在同一沙灘上。

那個束著孖辮在堆沙的小女孩，就是當年正在讀小六的12歲的小伍月！

她記得那天。

那天她瞞著爸媽，跟同學來到沙灘遊玩，而稍後時間，她將會溺水，卻萬幸由一個英勇少年所救。

她吞了一些鹹水，被拉扯回岸之後，還給那少年人工呼吸了呢。那時她沒法看清少年的臉，清醒過後，男孩已走開，她只能隱約望見，那個救命恩人所穿的是一條星星圖案的泳褲。

伍月把圖片拉回原狀。

她震驚得掩住了口。

2000年。

原來，他和她，早就相遇在那年的五月天。

伍月在深深悸動的餘波中，久久未能平復。沒料到，那天能讓她撼動的，還有沸沸揚揚的一宗大新聞——

扭開電視，她看到多國的科學家和天文學家，聯合召開發布會，公布正式證實了重力波的存在。

她記得兒時讀過的重力波理論是這樣說的：宇宙中有龐大的星系，每個星系都可能大於我們的太陽星系，當兩個中子星合併時，就會發生巨大的力量，叫做「重力波」。而「重力波」會產生一種時空漣漪，轉變時間和空間。

伍月曾經想過，人與人不可思議的相遇，可能就是重力波造成的。沒有早一點，也沒有遲一點；沒有所謂對，也沒有所謂錯；因為強大的相撞一早已發生，今日的感情也無從逃避，一早注定。這解釋了愛情的種種不可解釋，譬如「一見鍾情」、譬如「似曾相識」、譬如「不期而遇」、譬如「執著於某一個人」。

在知道初吻對象原來是旭仔的同一天，重力波理論居然成真，就像冥冥中捎來訊息，想要告訴她——所謂「遇上一個人」，比她想像的還要不可思議。

那喚作命定。

愛情的來到，正正是一個人帶著他的過去、現在和未來，走進另一個人的過去、現在和未來。

第二天，旭仔如常收到伍月的照片。

還沒按下載時，影像有些矇矓，但旭仔心有靈犀似的，感應到這跟往常的有點不同——似乎不像是拍攝風景的照片。

他有點緊張的按下下載鍵……直至照片清楚顯現，他的雙目，居然噙滿了淚水。

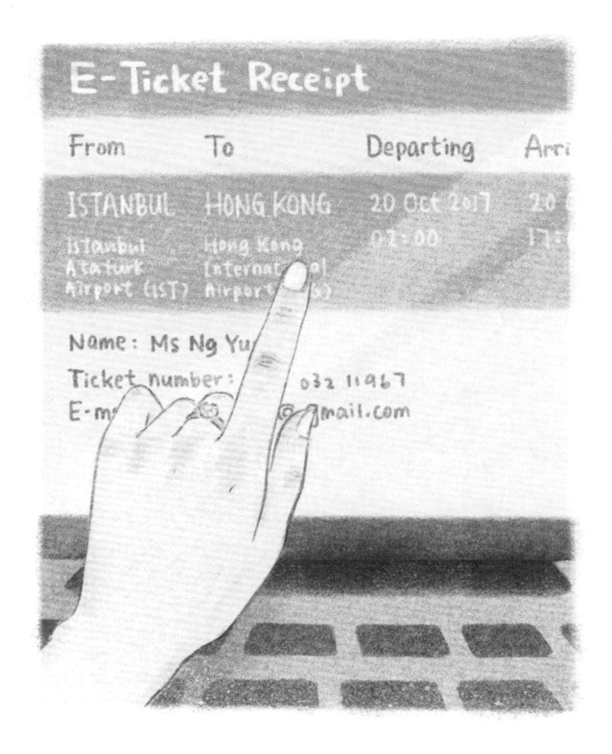

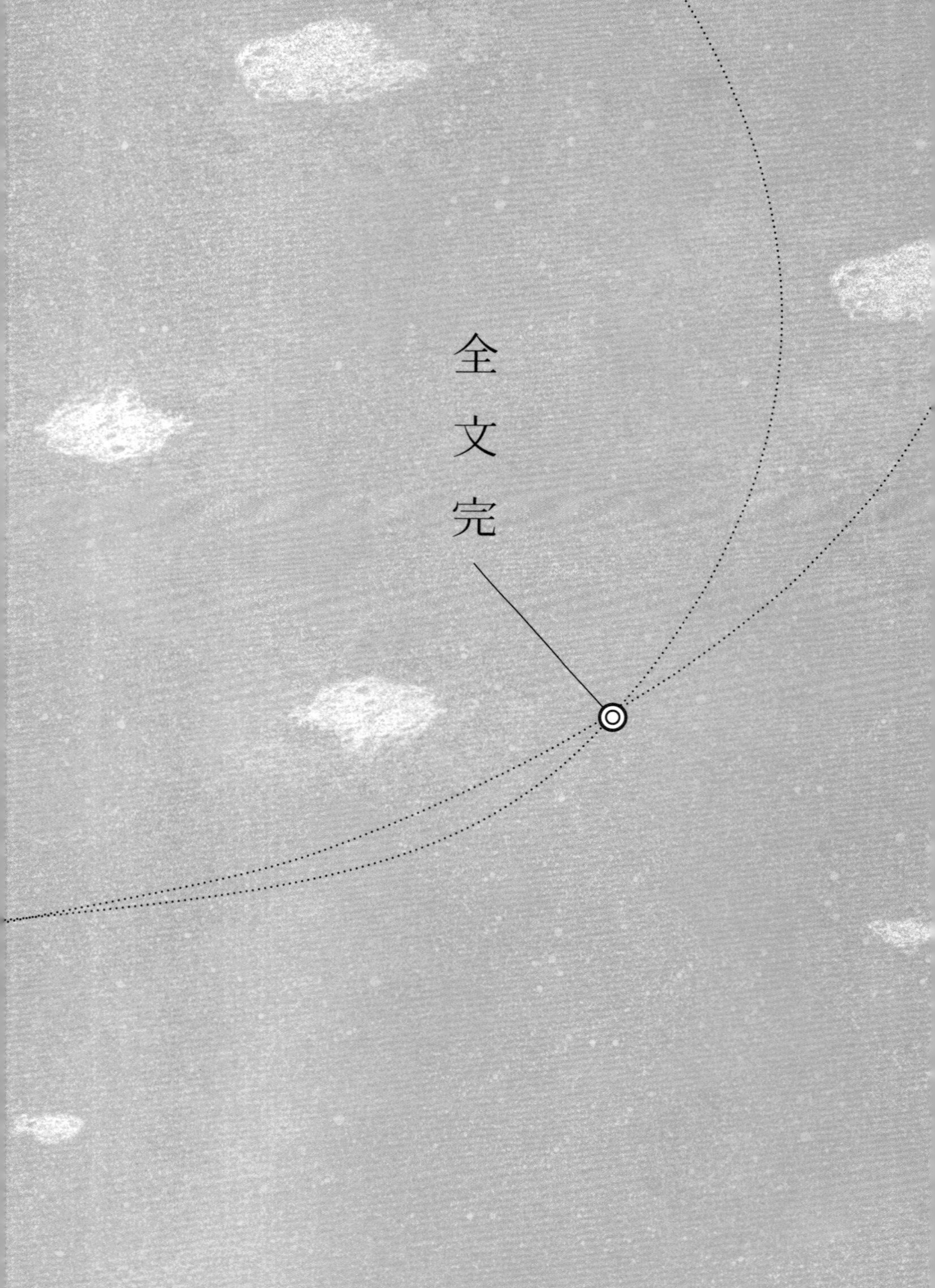
全文完

旭仔和伍月
的故事還在繼續……

後記

《那年五月》在2018年夏天推出了全新裝幀設計的典藏版，成為了「創造館」書展攤位的最暢銷流行小說，比該年的重頭新作更好賣，有點始料不及。雖然經過重新大幅修訂，畢竟仍是一本再版作品，能暢銷，大概是由於新版封面插圖太吸引吧。

典藏版的封面是三合一設計，即是用了三個主角人物做了三個獨立封面，但當三本書合併起來時，就可組成一幅連貫的大畫。但由於有不少讀者以為三個封面有不同內容，又有人表示選擇困難不知買哪一本才好，為免令人混淆（也不希望大家花錢買三本），所以這次再版又再重新設計，以跨頁效果將伍月、旭仔和阿樂又再聚攏一起，亦有另一番新鮮感。

上次的典藏版其實在出版後不久便售罄，但等到今年公司十周年時才再版，原因之一，是故事尾聲的時空正是2023年，剛好跟現實同步；另一原因，是旭仔在有份客串的另一作品《神隊友》，也在今年書展登場。想看旭仔後續的故事，就請收看小弟最新作、創造館十周年呈獻——《神隊友》。

余兒二零二三．五月

那年五月，他和她遇上了。

2002

那年五月，他和她遇上了。

2018

那年五月，他和她遇上了。

2020

那年五月，他和她遇上了。

2023

愛兒
永遠懷念你

那年五月，他和她遇上了。

作者	余兒
封面及內文插畫	Knoa Chung
編輯	小尾
設計	Zaku Choi
校對	伍秀萍
出版	創造館 CREATION CABIN LTD.
地址	荃灣美環街1號時貿中心604室
電話	3158 0918
發行	泛華發行代理有限公司
地址	香港新界將軍澳工業邨駿昌街七號二樓
承印	高科技印刷集團有限公司
出版日期	典藏第一版 2018年7月
	典藏第二版 2023年7月
ISBN	978-988-77579-0-0
定價	$128

創造館 CREATION CABIN

Follow 我們 ...

Instagram

facebook